D1585273

Het monster van mama

Dit boek kwam tot stand in nauwe samenwerking met de
Borstkanker Vereniging Nederland.
www.borstkanker.nl; info@borstkankervereniging.nl

BorstkankerVereniging Nederland
vereniging van borstkankerpatiënten en erfelijk belasten

Met dank aan PROK projectmanagement (projectbegeleiding).

Dank aan iedereen die me op wat voor een wijze dan ook heeft geholpen
voor, tijdens en na het schrijven van dit boek. Mariël en Arwen, dank voor
het geduld met betrekking tot mijn ongebreidelde enthousiasme en mijn
chaotische geest.

Illustratie omslag en boekverzorging Elly Hees Utrecht
Foto auteur Hans van Heumen

ISBN 978 90 72219 19 0
NUR 283

www.thoeris.nl

| MARLEEN MUTSAERS

Het monster van mama

| Uitgeverij Thoeris
Amsterdam 2007

Voor Natasja
(1971-2005)

Inhoud

Lief Dagboek

Dit ben ik:

Naam:
Mara Castellee
Leeftijd:
Bijna 11!
Lievelingskleur:
wit (maar dat is geen kleur)
Broertjes/zusjes:
Kris, 5 jaar.
En ik heb een vader én een moeder!
Later word ik:
sieradenontwerpster

Ik houd van spannende verhalen.
Zo'n verhaal dat soms zo griezelig is,
dat ik bijna niet durf te slapen.
Ik hoop altijd dat het goed afloopt.
Ik weet niet of mijn verhaal goed
afloopt. Echt spannend is het
misschien ook niet. Maar ik vind eigenlijk van wel. Misschien omdat ik nog
niet eens weet hoe het afloopt.

Dit is de eerste bladzij van mijn
dagboek. Best moeilijk om in een leeg
schrift te beginnen. Het is ook zo'n
mooi schrift. Een regenboogschrift,
bovenaan paarsig en dan aflopend naar
geel en dan naar rood. Ik heb het
schrift van Jenny gekregen en ik ben
pas over vijftien nachtjes slapen jarig.

Ik ga heel netjes schrijven in mijn
schrift. Eigenlijk wordt het niet
echt een dagboek. Want ik ga niet
opschrijven wat er elke dag gebeurt.
Nee, ik ga vertellen over het afgelopen
jaar. Het jaar dat mijn moeder ziek
werd. Misschien is dat wel een goede
titel voor het eerste hoofdstuk.

Het jaar dat mijn moeder ziek werd

Er klinkt kerstmuziek door het overdekte winkelcentrum. Ze zingen van de herdertjes, die bij nachte
liggen. Dat lijkt me koud in de winter. Hier in het
nieuwe winkelcentrum is het warm en druk. Iedereen
is aan het winkelen.
Ik kijk omhoog. Het dak is van glas. Het is alsof je
buiten loopt en toch blijf je droog als het regent. Nu
valt er natte sneeuw. Het is een mooi gezicht, al die
miljoenen sneeuwvlokjes die hoog bovenop je vallen.
Misschien blijft de sneeuw vannacht wel liggen.
Ik huppel naast mama. We gaan vaak naar het winkelcentrum. Elke zaterdagmiddag. Maar ik krijg niet elke
week nieuwe kleren. Soms kopen we alleen een sjaaltje,
misschien oorbellen, maar altijd krijg ik een ijsje of wat
te drinken.

Vandaag zijn we alle winkels in geweest en er bungelen
wel vijf plastic tassen aan onze armen. De tas van de
duurste winkel hangt aan de buitenkant. Stel je voor
dat we Joy en haar vriendinnengroepje tegenkomen.

Het zit er dik in, Joy is hier bijna elke dag. Ze hangt
maar wat rond, volgens mama, ze vindt dat raar.
Mama ziet dat ik de tassenvolgorde controleer. 'Wat
maakt het nou uit welk tasje waar hangt?'
Ik snuif, natuurlijk maakt dat uit. Dat hoef ik toch niet
uit te leggen? 'Mam, dat is belangrijk omdat Joy me
anders het hele jaar niet meer aankijkt. Als zij me stom
vindt, heb ik echt pech.'
'Zo'n type. Joy mag zeker veel thuis?'
'Ja, alles! Ze zit op tennissen en paardrijden. Haar
zakgeld maakt ze op in het winkelcentrum. Ze krijgt
vast een heleboel, genoeg voor een hele maand
shoppen. Iedereen vindt Joy leuk. Ik zou willen dat ik
zulke ouders had. Waarom vinden jullie nou nooit iets
goed?'
'Nooit iets? Overdrijf je niet een beetje?'
'Ik mag maar op één sport.'
'Mara, je mag één ding tegelijk doen. Punt uit. Je weet
best hoe duur alles is.'
'Stom hoor. Joy mag alles. Zelfs make-up op.'
'Mara...'
Ik weet al wat mama wil zeggen en daarom vul ik haar
snel aan:
'Nee, ik mag geen make-up, want daarvoor ben ik nog
te jong en ja hoor, ik krijg genoeg zakgeld.'

Mama strijkt haar lange donkerbruine haren achter haar
oren. Dat doet ze als ze een beetje boos wordt. Maar het
floept meteen terug omdat ze geen flaporen heeft.

'Juist. Je weet niet hoeveel jij wel mag.'

Ik ben opeens zo boos dat ik al mijn nieuwe kleren vergeet.

'En ik mag met mijn verjaardag wel nagellak opdoen?'

'Dat is anders, Mara. Je bent pas tien.'

Mama zucht. Als ik naar haar kijk, vind ik dat ze er moe uitziet. Minder mooi dan anders. Meer kringen onder haar ogen. Ze houdt haar hand tegen haar zij.

'Maar ik vind het toch oneerlijk', mok ik door.

Joy heeft toch echt geluk dat ze alles mag. 'Ik mag alles, bedenk maar iets en ik mag het', zegt ze altijd. Joy vindt mij leuk omdat papa vaak in de krant staat. Anders zou ze vast niets tegen me zeggen.

Mijn vader is kunstenaar en hij maakt reclames die vaak heel bekend worden. Hij werkt in de garage, de auto past er niet meer bij. Zijn atelier noemt hij de garage gewichtig en wij mogen daar niet zomaar komen. Soms komen er mensen naar zijn werk kijken. De reclames zijn vaak grappig, maar zijn schilderwerk vind ik niet mooi. Het heet kunst, maar ik vind het meer wat gekleur en gekras. Het lijkt wel of Kris het heeft gemaakt.

Kris is mijn broertje van vier. Joy vindt Kris stom. 'Wat moet je met een broertje, dat maakt alles stuk als je niet oplet. Ik hoef me gelukkig lekker niet druk te maken om een broertje of een zusje. Ik mag alles alleen beslissen.'

Soms vind ik dat ze gelijk heeft, maar altijd alleen zijn

is ook best saai lijkt me. Ik ben wel blij met Kris, maar
laat het hem niet horen.

Joy's ouders zijn allebei vaak lang op reis en dan is Joy
alleen met de au pair thuis. Een au pair is een oppas
die bij haar woont. Jacky heet ze. Joy luistert niet naar
Jacky, ze doet lekker waar ze zelf zin in heeft. Af en toe
belt haar vader of moeder op om te vragen hoe het met
haar gaat en dan zegt Joy dat ze het vreselijk druk heeft.
Ja, met leuke dingen, bedoelt ze, echt niet met haar
kamer opruimen.

Met een vriendin als Joy zou ik me nooit meer vervelen.
Dan gebeurt er altijd iets. Jenny is een stuk rustiger.
Maar Jenny is wel mijn beste vriendin. Wij praten over
alles. Papa snapt er niets van. Dan vraagt hij:
'Waar hebben jullie het toch over? Zijn jullie nooit
uitgepraat?'
Nee, nooit, dat weet ik zeker want ik ken Jenny al vanaf
de crèche.

Mama port in mijn zij. 'Kom op Mara, ben je nog
boos?'
Net op tijd haalt ze me uit mijn gedachten.
'Mama, blijf gewoon doen, ik zie het groepje in de
verte.'
Ik heb best een leuke moeder, maar ze flapt er soms
zomaar iets uit. Dan schaam ik me dood. Tegen Joy
zal ze ook haar mond vast niet houden. En dan lig ik
eruit. Joy bepaalt wie er wel en wie er niet bij hoort. Zo

simpel is het en dat weet ze ook. Als ze op ons af loopt, zwiert ze haar dikke schouderlange blonde haar naar achteren.

'Aanvallen', fluistert mama. Die houdt zich dus niet stil, dat weet ik nu al.

Het groepje blijft op een paar meter afstand van ons staan en begint zachtjes met elkaar te praten. Joy maakt zich van hen los en komt dichterbij. Je kunt zien dat ze een laag make-up op heeft. Ik hoop maar dat mama geen stomme opmerking maakt.

'Ha Mara, ook hier?'

Joy klinkt verrast me te zien.

'Wat heb je een hoop tassen. O, dat is een gave winkel!' Ze wijst op de tas aan de buitenkant.

'En duur ook', hoor ik mama naast me. Ik bevries. Joy kijkt mama verbaasd aan. Nee, ze is niet verbaasd, ze kijkt meer of mama idioot is.

'Ik had je moeder niet eens gezien!' Haar glimlachje lijkt nu op een grijns.

'Dat vind ik knap', zegt mama glimlachend terug en ze loopt alweer verder. Ik zwaai naar Joy en het groepje zwaait terug.

'Doe de groetjes aan je vader, Mara. Als hij modellen nodig heeft dan weet je me te vinden, hè.'

'Ja. Tot volgende week op school... Leuke vakantie nog!' Als ze uit het zicht zijn verdwenen, merk ik dat mama inmiddels een heel eind is doorgestapt.

Waarom moest ze dat nou zeggen? Mooie dingen zijn

nu eenmaal duur. Klaar!

'Jenny is tenminste beleefd', zegt mama. Ze heeft gelijk, maar soms vind ik Jenny een beetje saai. Vergeleken met Joy. Dan merkt mama iets op wat nergens op slaat:

'Je zult het wel een keer in je leven merken. Jenny vind jij misschien saai, maar aan zulke mensen heb je het meest.'

Niet nog zo'n broertje

Bij het restaurantje op de hoek bestellen we een groot glas sap. Naast ons staan in totaal zes zakken. De inhoud: een spijkerbroek met van die bijna versleten plekken erin, een bloesje met strassteentjes, een paar bruine laarzen en een supermooie trui met lange mouwen. En ook nog een T-shirt voor Kris en dingen voor mama. Ik heb mijn sap zo op, maar mama doet er langer mee. Ze klaagt dat ze moe is en pijn in haar zij heeft.

'Het komt vast omdat we zoveel hebben gelopen, mama. We zouden ook nog naar oorbellen kijken. Gaan we verder?'

Ik sta op en grijp alle tassen bij elkaar. Mama blijft zitten.

'Nee, we gaan naar huis.'

'Mama! Je zei dat...'

'Ik weet wel wat ik zei, maar het lijkt me beter dat we naar huis gaan als ik mijn glas leeg heb.'

Is ze zo kwaad op Joy? Of op mij? Ik deed ook niet zo

aardig net. Maar het is oneerlijk van mama. Ze heeft
het me beloofd. 'Sorry mam', ik zeg het zo zachtjes dat
ze me vast niet hoort.

Het is druk in de lunchroom. Op de tafeltjes staan
kerstboompjes, er is nog net plek voor kopjes koffie en
schoteltjes met kerststol. '*When teddybears have their
piiiiiiiiiiiiicknick*', schalt het uit de speakers. Mama ritst
haar winterjas dicht.

'Kom Mara, papa wacht op ons met het eten.'

Het valt papa meteen op dat er iets met mama is.
Terwijl ik trots mijn aankopen toon, kijkt hij mama
bezorgd aan.

'Hé hallo, papa, je ziet helemaal niets!'
Na een mager 'ja, mooi allemaal' draait hij zich weer
naar mama om. Mijn maag knort. Het ruikt ook zo
lekker. Papa heeft Chinese rijsttafel gehaald. Daar heb
ik wel zin in na een hele middag winkelen. Mama heeft
ook gewoon honger, wedden?

Ineens staat Kris voor mijn neus. Met zijn blonde
stekelkoppie komt hij net boven de eettafel uit. In zijn
hand houdt hij mijn nieuwe broek.

'Wat heb jij stomme kleren. Bijna kapot. Die gaten had
ik ook voor jou kunnen knippen!'
'Geef hier mijn broek en ga ergens anders mee spelen',
krijs ik.

Ik duw Kris weg en begin de etiketjes van de kleding
te halen. Papa en mama merken niet eens dat Kris al
wat kroepoek pakt. Ze praten met elkaar en af en toe

legt papa een hand op haar zij. Dat doet me denken aan bijna vijf jaar geleden, toen mama Kris in haar buik had. Toen voelde papa ook hoe het ermee ging. Zou ze een baby in haar buik hebben? Dan krijg ik dus nog zo'n broertje erbij. Of een lief zusje.

Kris springt bij papa en mama op de bank en rolt over de leuning. Dat doet hij expres, hij mag binnen niet zo wild doen. Op de bank vallen is verboden, maar papa en mama zeggen er nu niets van.

'Honger, honger, ik heb honger', roept Kris en rolt van de bank zo over de grond en hij maakt allemaal rare geluiden. Hij kijkt lachend om zich heen of we hem wel zien en ik trek een gezicht. Heel grappig Kris. Papa en mama zeggen er nog steeds niets van. Die hebben het te druk met elkaar.

'Je moet morgen naar de dokter. Je hebt al drie weken last.' Mama knikt. Ik zou wel mee willen, maar ik kan zo al zien dat ze liever alleen gaat. Ik hoop wel dat ze daarna vertelt hoe het was, ik ben nieuwsgierig. Ik wil als eerste weten of er een baby in haar buik zit!

'Kom, we gaan eten!' Mama staat opeens enthousiast op en in een paar tellen zitten we allemaal aan tafel. Blij vertel ik over vanmiddag. Over alle winkels, de sneeuw op het dak en Joy. Als ik vertel dat ze wacht op een uitnodiging om model te staan op één van zijn posters schiet papa in de lach. Ik ben zo blij dat hij weer lacht dat ik helemaal giechelig word. Kris en mama lachen ook.

'Als ik een model nodig heb, vraag ik jou eerst, Mara.
Maar als ik er meer moet hebben...'
'Dan vraag je Jenny ook', maakt mama de zin voor hem
af. Papa knikt zo hard dat een donkerbruine haarlok
voor zijn bruine ogen valt.
'En Joy? Die vroeg toch het eerst of ze een keer mee
mocht doen?'
'Ja hoor, die vragen we dan ook.'

Mama eet een paar happen en legt dan haar bestek met
een zucht neer. Opeens kijkt ze weer zorgelijk.
'Mara, je laat je niet meeslepen door Joy. Ik ga rusten,
Jorn. Een uurtje.'
Mama staat van tafel op terwijl haar bord nog half vol
ligt met eten. Stil brengt papa haar bord en bestek naar
de keuken. Ik pik snel nog wat lekkere hapjes van de
schaal. Kris zit te kliederen. Hij is aan zijn bakje vla
begonnen en de spetters vliegen om onze oren.
'Ik hoop dat mijn volgende broertje niet weer zo'n viespeuk is.'
'Hè?'
Het bord met het bestek klettert op het aanrecht. Papa
draait zich geschrokken om.
'Ik weet het heus wel hoor. Mama heeft een nieuwe
baby in haar buik', antwoord ik.
Langzaam schudt papa van nee. Hij glimlacht, maar
zijn ogen lachen niet mee. Mama heeft alleen een
beetje pijn. Steken in haar zij. Omdat papa het te lang
vindt duren, gaat ze morgen naar de dokter. Gelukkig,

denk ik. Eén Kris is meer dan genoeg. Papa kijkt helemaal niet opgelucht. Kris likt zijn bakje schoon en heeft niets in de gaten.

Kerstbal
met krullen

Vandaag trek ik meteen al mijn nieuwe kleren aan.
Met die glimmende steentjes op mijn bloes voel ik me
heel feestelijk. Het aandoen van die laarzen zonder rits
is een beetje moeilijk, ik rol bijna van het bed af als ik
mijn voeten erin wurm.
Ik doe eerst mijn laarzen over mijn broek, dan onder
mijn broek en daarna prop ik mijn broekspijpen toch
weer in mijn laarzen. Stoer... net een cowboy met die
vlijmscherpe punten. Zal ik mijn haar los laten, of juist
in een hoge staart doen?
Joy zou mij zo eens moeten zien, denk ik, mezelf
bewonderend in de spiegel van mijn kamer. Dan zie
ik in mijn ooghoek mijn broertje en vader op de gang
staan giebelen. Met een knalrood hoofd smijt ik de
deur dicht.
Ik trek mijn witte beddensprei recht. Bijna alles in mijn
kamer is wit of bijna wit, heel lichtroze of lichtgeel.
Wit vind ik supermooi. Alle muren zijn wit en ook het
houten bureau met de drie laden heeft papa glanzend
wit gelakt. Ik bewaar van alles in mijn bureauladen.

Rommel, zegt Kris. Maar in zijn kamer is het de grootste troep, ik struikel altijd over zijn auto's.

Op mijn bed liggen wel vijf kussens met van die fladderende randjes erlangs, ruches heten ze. Het bed is van gietijzer. 's Zomers maak ik er een hemelbed van. Dan hang ik een doorzichtig wit gazen gordijn aan het plafond en drapeer het om het bed. Zo'n klamboe staat romantisch en de muggen kunnen me niet opeten.
In crème houten lijstjes heb ik schilderijen en knutselwerkjes gestopt. Papa zegt dat ik ook een kunstenaar ben. Maar ik wil sieradenontwerpster worden. Jenny en ik hebben al heel veel armbandjes en kettinkjes van priegelkraaltjes geregen. Die van haar zijn allemaal rood, roze, paars, geel en oranje. Die van mij natuurlijk wit of in pasteltinten. De allermooiste draag ik niet, die hang ik op in een lijstje. Leuk hè?
Kijk, ik heb ook een echte kaptafel met een krukje erbij. Al mijn haarfrutsels zitten in die laatjes. Ook wit. Krinkelbandjes, klemmetjes, schuifjes, haarbanden, alles! Ik ga toch mijn haar in een staartje doen. Die stomme krullen. Ik zou willen dat ik het haar van Jenny en Joy had, blond en steil. Maar nee hoor, Mara heeft bruine krullen. Jammer, maar ze heeft wel een leuke kamer. Zo, nog even het badstoffen bandje strak over mijn haar trekken en ik ben klaar voor vandaag.

Beneden is papa de tafel aan het dekken, als hij mij ziet binnenkomen legt hij net de messen neer.

'Mooi hoor! Wat word je toch al groot, Mara. Ga zitten, je bent precies op tijd.'
Papa trekt een stoel naar achteren.
'Alstublieft, dame.'
Kris grinnikt: 'Was jij die olifant op de trap? Nee, jij bent een kerstbal. Wat blink jij erg. Papa, Mara is een kerstbal.'
'Hahaha,' neplach ik, 'wat heb ik toch een grappig broertje. Waar is mama?'
'Naar de dokter, dat weet je toch?'
'Zo vroeg al?'
Ik kijk papa met grote ogen aan. Hij knikt en gaat zwijgend door met tafeldekken, hij zet het broodmandje naast de beschuit en de roomboter. Lekker. Joy zegt dat je dik wordt van roomboter, ik wil niet dik worden, dan schelden ze me uit.

We hebben al een boterham gegeten als mama door de achterdeur binnenkomt.
'Net op tijd mam. Er staat roomboter!'
Maar ze heeft het te druk met andere dingen. Met haar jas uitdoen en haar neus snuiten.
'Jorn,' zegt mama gehaast, 'ik moet morgen bloed laten prikken.'
Langzaam legt papa zijn vork op zijn bord, hij staat op en loopt achter mama de gang in. Hij trekt de deur achter zich dicht. Ik zie ze door het raampje van de deur met elkaar praten. Of beter: mama praat en lacht een beetje onhandig. Papa staat er verslagen bij.

Kris pakt nog een boterham en binnen een mum van tijd zitten zowel zijn bord, kleren, gezicht als placemat onder de boter, maar zijn boterham is leeg. Als ik zijn mes wil afpakken, begint hij te krijsen.

'Mama!'

'Kris, houd op,' zeg ik boos, 'ik snap ook niet waarom ze nou op de gang blijven kletsen. Kennelijk mogen wij het niet horen. Nou, mama vertelt het mij lekker heus nog wel.'

Kris krijst nu nog harder. 'Mij ook, mij ook', schreeuwt hij zonder te weten wat dan ook.

Papa doet de deur open.

'Wat is er nou?'

'Wat er is? Kijk maar naar Kris en dan weet je wat er is.' De boter zit inmiddels overal. Ik deins achteruit, zo meteen smeert hij het nog aan mijn bloes.

'Kris!'

Mama komt binnen en pakt meteen zijn bord en placemat af. Ik vind het stiekem best grappig, maar blijkbaar ben ik de enige. Papa en mama lachen niet. Mama rept zelfs met geen woord over mijn nieuwe kleren. Ze pakt een boterham en kauwt oneindig lang op elk hapje. Als ik haar vraag wat ze heeft, antwoordt papa:

'Mama had een niersteenaanval. Dan blijven er wat steentjes achter in de nieren. Die lijken nog het meest op hagelslag. Als mama geluk heeft, plast ze die hagelslagjes gewoon uit. Dan is de pijn in haar zij ook over.'

Ik snap er eigenlijk niets van. Stenen? Hagelslag doe
je op je brood! Als het al over is, waarom moet ze dan
morgen bloed laten prikken? Waarom vertelt papa het
nu zo aan tafel terwijl Kris en ik net nog niets mochten
horen?

Maar ik weet wel waar de nieren zitten. 'Aan elke kant
van je lichaam één.'

De enige die luistert is Kris. Ik wil tegen mama praten.
'Ehm ja, dat klopt', mompelt ze na een tijdje, maar
volgens mij heeft ze helemaal niet gehoord wat ik allemaal heb gezegd. 'Laat ook maar.'

Ik sta op en duw mijn stoel geërgerd terug.
'Wat is er nou, Mara?', vraagt papa.
'Mama heeft niet eens gezien dat ik mijn nieuwe kleren
aanheb!'

'Jawel, natuurlijk wel! Ze staan zo mooi, doe er maar
voorzichtig mee', zegt mama gehaast.

Kris schuift ook van zijn stoel en zegt vrolijk:
'Ik zag het ook, hè Mara. Je lijkt echt op een kerstbal.'

Maandag begint school. Dan zal ik iedereen weer zien
na de kerstvakantie. Joy, Jenny, Arie en alle anderen.
Arie heeft de grootste mond van de klas. Hij is al twee
keer blijven zitten en als hij dit jaar niet beter zijn best
doet, moet hij van school af. Ik zou me doodschamen,
maar Arie niet. Hij weigert zijn best te doen. Arie zegt
altijd 'hallo' tegen mij, hoewel ik niets van hem moet
hebben. Jenny heeft een hekel aan hem, maar Joy en
haar vriendinnenclubje vinden hem het einde. Ze

hangen vaak met z'n allen in het winkelcentrum rond.
Ze hebben al een paar keer gevraagd of ik meega. Maar
ik weet dat papa en mama dat niet goed vinden. Na
school moet ik eerst naar huis zodat ze weten waar ik
ben. Dat vinden Joy en Arie kinderachtig. Jenny zegt
dat ze geen zin heeft om mee te gaan, maar Jenny
vragen ze ook niet.

Maandag doe ik mijn nieuwe kleren aan, wat zal ik
indruk maken. Het is nog lang geen maandag. Het is
vakantie en mama moet weer naar de dokter, nu om
bloed te laten prikken.

Fout bloed

Voorzichtig schuifelt mama over de stoep, er ligt een poederlaagje sneeuw, het is glad. Ze gaat alleen, papa gaat met ons naar het pleintje aan de andere kant van de straat. Daar hebben ze van die leuke heuveltjes waar je vanaf kunt glijden. Het lukt me heel goed, maar misschien is het wat oneerlijk want ik ben al tien. Kris is nog een kleuter en papa is al oud. Hij wil snel weer naar huis want mama komt zo terug.

Maar ik vind het net gezellig. Wat grappig, Joy, Isabel en Marit zijn er ook. Ik zwaai naar ze en ze komen meteen op ons af, voorzichtig glibberend.

'Meneer Castellee! Joehoe!'

Papa kijkt verrast op bij het horen van zijn naam. Denk ik dat nou maar, of lijkt hij wel heel even verveeld als hij Joy herkent? Maar meteen daarna breekt er een zonnige glimlach door op zijn gezicht.

'Dag Joy. Dag dames.'

Als de lach al een moment is weggeweest, dan kun je daar nu niets meer van merken. Het maakt Joy niets uit. 'Zoekt u nieuwe modellen? Ik word namelijk fotomodel en dan kan ik dus vast oefenen.'

'Als ik jullie nodig heb, zal ik het laten horen. Goed?'

Joy knikt, terwijl ze hem met haar opgemaakte wimpers indringend aankijkt.

'Vraagt u Mara altijd als eerste?'

Ik voel dat ik het opeens warm krijg. De zweetdruppeltjes kriebelen in mijn nek. Papa fronst zijn donkere wenkbrauwen.

'Nou, Mara is natuurlijk wel mijn dochter. Maar ik zal aan jullie denken, oké?'

Hij pakt het touw van de slee waarop Kris zit en loopt richting huis. Joy houdt me tegen.

'Wat bedoelt hij nou met jullie? Ik word het toch de volgende keer, mag ik hopen?'

Ze kijkt me strak aan en ik maak me gauw uit haar greep los.

'Ik zal het hem nog eens vragen. Maandag hoor je het.'

Op slag weet ik dat ik haar iets heb beloofd wat ik niet waar kan maken: Joy mag meedoen als de hele klas meedoet en als hij er één moet hebben... dan ben ik de gelukkige. Als het een kind moet zijn dan en als papa zelf het model uitkiest. Maar ik vrees dat Joy de eerste keus wil zijn.

Ik kijk voorzichtig om als ik doorloop en de drie meisjes praten nog steeds over mij. Ze wijzen naar me en knikken.

Mama zit in een hoekje van de kamer een folder door te bladeren. Als ze papa ziet, gooit ze het papier weg en vliegt op hem af. Het valt niemand op dat we met onze natte laarzen en kleren de kamer in lopen.

'En, weet je al iets?', vraagt papa snel.

Zelfs Kris blijft stilstaan.

'Ze hebben meteen gekeken. Het bloed is fout, ik moet morgen naar het ziekenhuis voor een echo.'

Papa kijkt ongerust naar het bleke gezicht van mama.

'Het komt vast wel goed, Jorn', zegt ze zacht en begraaft haar gezicht in zijn trui.

'Kom Kris, dan hangen we onze jassen op en zetten we onze laarzen in de gang', fluister ik.

Wat is fout bloed? En een echo? In het ziekenhuis. Waar hebben ze het over? Kris rent de kamer weer in.

'Mama, we hebben gesleed!'

Mama knikt en strijkt met haar hand over zijn bol. Ze vraagt verder niks. Dat vind ik raar, want zo vaak ligt er geen sneeuw.

'We moeten oppas regelen. Even bellen.' Papa pakt de telefoon. Als hij Kris en mij verwachtingsvol ziet kijken, loopt hij met de telefoon de kamer uit.

'Mama,' vraag ik een beetje beledigd, 'wie belt hij dan en voor wanneer?'

'Ik denk dat hij opa en oma vraagt of ze morgen kunnen oppassen.'

'Ik hoef geen oppas want ik ben al tien!'

Mama negeert mijn verontwaardigde blik.

'Mara, houd alsjeblieft op met zeuren en luister gewoon eens. Ik ben echt te moe hiervoor.' Ik zou haast vergeten dat het nog maar een kwartiertje geleden bere-gezellig was.

Het spook

Opa en oma zijn er de volgende morgen stipt op tijd
en ze kijken zielig. Kris rent op hen af en opa tilt hem
hoog op.
'Ha ventje. Ben je bijna jarig?'
'Ja opa! En weet je wat...'
De rest is onhoorbaar omdat opa hem snel naar de
andere kant van de kamer meeneemt zodat oma met
mama kan praten. Ik blijf muisstil zitten, ik hoop dat
ze me niet opmerken en dat ik geen woord hoef te
missen.
Oma vraagt aan mama waarvan ze in het ziekenhuis
een echo maken.
'De borst', antwoordt mama zachtjes. Oma kijkt mama
geschrokken aan, mama haalt haar schouders op. Ik
snap er niets van.
Als papa en mama vertrekken en ons een knuffel
geven, piep ik: 'Mama, je moet me straks wel vertellen
wat ze allemaal gedaan hebben hoor.'
Dan slaat de voordeur dicht.
Oma neemt me mee terug de kamer in. Opa zit minder
vol verhalen dan anders, oma wil wel kraaltjes rijgen
met me, maar ze kijkt vooral hoe ik het doe. We zeggen

weinig. Alleen Kris maakt lawaai met zijn trein en zijn autootjes. 'Toettoet.'

Op de één of andere manier zitten opa en oma ergens op te wachten. Als papa en mama weer terug zijn, springen ze meteen op en is het eerste dat ze vragen: 'En?'

Maar papa zegt dat ze niets weten. Waarom moesten ze dan naar het ziekenhuis, vraag ik me af. Opa en oma blijven tot in de middag en als ze weg zijn mogen Kris en ik televisie kijken.

Opeens gaat de deurbel. Papa doet de voordeur open.
'Kunnen we ergens praten?', hoor ik iemand vragen.
'Natuurlijk, kom maar mee naar boven.'
Mama draait zich naar ons om.
'Rustig kijken hè, wij zijn even boven. We moeten iets bespreken. Met de huisarts.'
Het liefst wil ik ze achtervolgen en afluisteren op de trap, maar dat durf ik niet. Ik zal het wel horen, ooit... Toch?

Stil kijken Kris en ik televisie, Kris hangt tegen me aan. We zijn allebei een beetje bang denk ik. Zelfs als we de huisarts weg horen gaan en papa en mama de kamer binnen komen, verroeren we ons niet. We staren ze alleen maar aan.

Ze zien er zo wit uit als mijn kamer en er komt geen woord over hun lippen. Het lijkt wel of ze een spook hebben gezien. Wat is er boven gebeurd?

'En?', vraag ik, net als opa en oma vanochtend. Als je 'en?' vraagt, krijg je antwoord.

Papa haalt diep adem. 'Dat was de dokter. Mama is ziek.' Papa kijkt snel naar mama en dan weer naar ons. 'Mama is heel erg ziek.' Hij slikt. 'We zullen veel naar het ziekenhuis moeten. Daar zullen ze er alles aan doen om mama beter te krijgen.'

Ik begrijp het niet. 'Je had toch geen pijn meer in je zij?'

Papa's ogen staan treurig. Ze zijn opgehouden met stralen.

'Nee, mama's pijn in de zij heeft er niets mee te maken. Dat was onschuldig. Daardoor hebben ze het wel ontdekt. Zo gaat het vaker, je komt met het een en blijkt het ander te hebben.' Papa zucht.

'Hè, ik snap het niet', zeg ik.

'Het gaat om haar borst. Die is ziek.'

'Tiet ziek!', roept Kris uit.

Ik grinnik. Maar bij papa zie ik een traan langs zijn wang lopen. Onderweg naar zijn kin. Hij veegt hem snel weg, maar ik heb hem toch gezien. Waarom huilt hij nou? Ik wist niet dat een borst ook ziek kan zijn. Ben je helemaal ziek als je borst ziek is? Als je ziek bent, kun je toch ook beter worden? Borst ziek, borst beter, klaar! En zo ziek ziet mama er ook weer niet uit.

Mama heeft de hele tijd haar mond dichtgehouden, maar als ze eindelijk praat klinkt haar stem hees.

'Opa en oma zullen vaak komen. Wanneer we naar het

ziekenhuis moeten, zulke dingen...' Mama haalt diep
adem. 'Dit gaat lang duren.'
'Hoe lang?', wil Kris weten.
'Zeker tot de zomer.'
'Zo lang?!'
Ik staar mama verbaasd aan en Kris trekt zijn wenkbrauwen op. Een half jaar zonder mama? Dat kan niet,
mama is altijd thuis. Soms is ze natuurlijk wel weg,
maar nooit voor lang. Mama heeft geen baan. Ze helpt
papa met het verkopen van zijn werk, volgens hem kan
zij beter rekenen. Omdat papa zijn werk in de garage
is, zijn onze ouders dus eigenlijk altijd in de buurt.
Ik raak in paniek. 'Jullie mogen niet weggaan', zeg ik
een beetje boos. Mama trekt me naar zich toe en slaat
haar armen om me heen. 'Nee, dat wil ik ook helemaal
niet.' Het lijkt net of ze opeens verkouden is. Misschien
krijg je van een zieke borst wel griep.
'Mogen we nu snoep?'
'Hè Kris', gromt papa.

Die avond kan ik natuurlijk niet slapen. Hoe kan het
dat je opeens ziek wordt? Dat je weet dat het zeker een
half jaar duurt? Wat voel je eigenlijk als je borst ziek is?
Hoe heet dat? Er zijn vast wel pillen voor. Ik moet niet
vergeten dit allemaal aan mama te vragen. Nog drie
nachtjes slapen en dan moeten we weer naar school.

Arie Bombarie

De wekker gaat, ik spring meteen uit bed. Op de stoel heb ik gisteravond mijn nieuwe kleren klaargelegd. Ik vind het wel jammer dat de vakantie voorbij is, al was het nog zo'n rare vakantie. Eerst gingen we lekker winkelen en met oud en nieuw vuurwerk afsteken en nu heb ik opeens een zieke moeder. Die laatste dagen van de vakantie wil ik vergeten.
Op de hoek van de straat wacht ik op Jenny, ze komt zwaaiend en bellend aanfietsen. Jenny is in de vakantie naar haar vader geweest, we hebben elkaar twee weken niet gezien!
'Hartstikke mooi, Mara', zegt ze wijzend naar mijn spijkerbroek en laarzen. Ik knik trots.
'Wat heb je allemaal gedaan?'
'Heel veel! En jij Mara? En o ja, gelukkig Nieuwjaar natuurlijk!'
Opeens voel ik tranen prikken. 'Ja, gelukkig Nieuwjaar nog.'
'Wat is er?', Jenny kijkt me geschrokken aan.
'Mijn moeder moest bloed laten prikken en ze moest naar het ziekenhuis voor een echo en de dokter kwam thuis en toen gingen ze praten en dat mochten Kris en

ik niet horen en nu is ze opeens ziek. Tot de zomer is
ze ziek.'
'Hè? Wat? Wat heeft ze dan, wat doet er dan pijn?'
Ik haal mijn schouders op. 'Ik weet het allemaal ook
niet precies hoor.'
'Nou, lekkere vakantie wel. Wat zielig voor je moeder.'
'Ik heb Joy nog gezien', begin ik snel over iets anders.
Jenny trekt een gezicht of ze in een citroen bijt. Ze
vindt Joy verwaand.
Ook al is Jenny mijn allerbeste vriendin, we denken
wel heel verschillend. Mama vraagt zich soms af of ik
wel zelf denk. Als ze dat zegt, word ik boos. Volgens
mij denkt Jenny te veel. Ze is al elf en bij zulke dingen
merk je dat. Als ik elf ben, wil ik net zo vrolijk zijn als
Joy. Jenny kan zo verschrikkelijk ernstig reageren.

Op het schoolplein staan Arie, Joy, Isabel, Marit en de
rest van het vriendinnenclubje. Arie heeft het hoogste
woord, horen we al uit de verte. 'Arie bombarie',
mompelt Jenny. Ik giechel. Arie heeft altijd herrie om
zich heen. Waar hij is, valt hij op. Dan zien ze me en ik
zwaai. Jenny kijkt expres de andere kant uit.
Het fietsenhok staat vol, maar gelukkig vinden we een
plekje ergens achterin. We moeten opschieten, straks
zijn we nog te laat in de klas.
'Hé Mara, wat een vet coole broek', roept Joy als we
langslopen.
'Die heb je zeker vorige week gekocht? Doet jouw
moeder trouwens altijd zo? Vindt ze zo'n spijkerbroek

echt al te duur?'

Jenny kijkt Joy een beetje nijdig aan, maar ik vind dat Joy gelijk heeft. Mama heeft een neus voor koopjes. Ik moet haar beslist eens goed uitleggen dat gave spullen nooit gratis zijn.

'Zielig voor je, zo'n rare moeder. Ik ben blij dat ik daar geen last van heb, ik kan doen wat ik wil.' Ze haalt haar hand door haar blonde haar.

'Kom Mara, we komen te laat.' Jenny trekt me mee. 'Fijn voor Joy dat ze alles mag, maar ze lijkt wel een zwerfkat.'

'Jammer Jenny, maar dat hoorde ik dus. Jij bent pas echt raar. Zo'n vriendin zou van mij mogen wieberen', snauwt Joy en ze duwt ons opzij om als eerste naar binnen te kunnen, met haar gevolg vlak achter zich. Arie grijnst gemeen naar ons.

'Waarom zei je dat nou Jenny?' Jenny doet of ze me niet hoort. Ik had me de eerste schooldag van het nieuwe jaar heel anders voorgesteld.

In de klas kletst iedereen door elkaar heen. We willen allemaal tegelijk vertellen over de vakantie en wat we hebben meegemaakt. Eigenlijk ben alleen ik een beetje stil, maar dat valt niemand op. Juffrouw Schiks zegt lachend dat ze door dit gekrijs natuurlijk niemand kan verstaan. 'Nou Arie, begin jij maar, eerder kun je toch niet naar de anderen luisteren.'

'Ik heb een sneeuwballengevecht gehouden en gecrost met mijn mountainbike! En in de eerste week van de vakantie heb ik gelogeerd op een vakantieboerderij, ik mocht paardrijden.'

Iedereen begint weer door elkaar te praten. Joy steekt zo dwingend haar wijsvinger de lucht in dat zij de volgende is die mag vertellen.

'Ik heb ook gelogeerd, maar dan in een viersterrenhotel in Zwitserland.' Ze kijkt triomfantelijk de klas rond, iedereen kijkt haar vol ontzag aan.

'Hoe kan dat nou,' zegt Jenny, 'jij was haar toch tegengekomen Mara?'

Ik krimp in elkaar. Joy kijkt haar hard aan.

'Ik zeg toch niet dat ik de hele vakantie weg was. Mijn ouders moesten ook nog werken hoor.'

'Nou, dat klinkt allemaal prachtig Joy', zegt juffrouw Schiks opgewekt en wijst de volgende aan.

'Ik was nog niet klaar juf. Ik word het model van meneer Castellee.'

Zoefff! Alle hoofden zwaaien tegelijkertijd mijn richting op. Dertig paar ogen kijken me afwachtend aan.

'Eh...', stotter ik. Wat voel ik me ongemakkelijk. 'Nou ja, als mijn vader een reclame moet maken met veel kinderen erin...'

Het blijft akelig stil. Ik durf me niet te verroeren. Joy zit achter me en ik kan wel raden hoe ze nu naar me kijkt. Haar perfect opgemaakte wimpers prikken in mijn rug als messen. Juffrouw Schiks merkt de spanning ook. Zo luchtig mogelijk zegt ze:

'We horen wel als het zo ver is meiden. En ben jij naar je vader geweest Jenny? Vertel jij eens over je vakantie.'

Jenny is het lievelingetje van de juf, zegt Arie. Dat is ook wel een beetje zo. Jenny is een voorbeeldige leerling. Ze is altijd aardig, oplettend en beleefd en bovendien haalt ze ook nog goede punten. Wat wil je als juf nog meer!

'Ik ben bij mijn vader geweest en ik heb ook nog bij mijn oma in Groningen gelogeerd. Toen zijn we naar de zeehondencrèche van Lenie 't Hart gegaan. Er waren allemaal zeehondjes bij hun moeder weggespoeld door de storm. Heel zielig.'

'Daar heb ik foto's van in de krant gezien', roept Angela. Wat ze verder allemaal over zielige zeehondjes zeggen, hoor ik niet. Als ik me voorzichtig omdraai, zie ik dat Joy me nog steeds met die harde blik bekijkt. Hier ben ik al vanaf het begin bang voor geweest. Zou ik nou nooit meer in haar groepje mogen?

'Mara, wil jij nog iets vertellen voordat we gaan rekenen?' Ik zeg dat in de kerstvakantie mijn moeder ziek is geworden. Ik vertel hetzelfde als wat ik op de fiets al tegen Jenny heb gezegd. De juffrouw schrikt ervan.

'Bloed prikken? Naar het ziekenhuis? Wil je me op de hoogte houden, Mara?'

Ik knik en vertel maar niet dat ik mama er helemaal niet zo ziek vind uitzien, misschien alleen een beetje moe.

Juffrouw Schiks zegt dat we onze rekenboeken moeten pakken. De vakantie is nu echt voorbij. Terwijl wij

sommen maken, legt ze op haar bureau vast de taal-
lessen klaar. Ze zit keurig rechtop als een echte school-
juffrouw en zo ziet ze er ook uit, met haar korte grijze
haren en een brilletje op het puntje van haar scherpe
neus. Juffrouw Schiks is lang en smal en al bijna zo
oud als oma. Haar kinderen wonen allang niet meer
thuis. Wat zou juf eigenlijk hebben gedaan in de
vakantie? Dat heeft ze helemaal niet verteld.
Juf merkt dat ik naar haar kijk. Ze glimlacht. Ik kijk
snel weer in mijn schrift. Af en toe kijkt ze de klas rond
en ik merk dat haar peinzende blik op mij blijft rusten.
Daar word ik zenuwachtig van. Ik denk snel aan wat
leukers. Vanavond ga ik mama vragen of ik mijn haar
mag verven.

Nieuwe vrienden

Tijdens de pauze mijdt Joy mij en Jenny. Ze gaat expres aan de andere kant van het schoolplein staan en als onze blikken elkaar toevallig kruisen, doet ze net of ze het niet merkt. Ik krijg de kriebels van dat uitgestreken gezicht van haar. Ik zie dat ze iets fluistert in het oor van Pascal, die meteen naar me toe komt. Jenny stoot me aan:
'De koningin laat weten dat ze op antwoord wacht.'
Ik doe of ik haar niet hoor.
'Joy vraagt of je na schooltijd met ons meegaat.'
Ongeduldig wiebelt Pascal van de ene voet op de andere en neemt me ondertussen van top tot teen op.
'Zeg je nog wat? Je hebt geluk dat Joy je mag. Iemand anders zou ze nooit een tweede kans geven.'
'Zeg haar maar...'
Jenny wil voor mij antwoord geven en ik maak gauw haar zin af:
'... dat ik straks met jullie meega.'
Jenny verstart en Pascal lacht triomfantelijk naar me.
'Heel slim, Mara, eindelijk.'
Pascal draait zich om en Jenny trekt een ongelovig gezicht.

'Ze kan echt doen met je wat ze wil.'
Dan is het mijn beurt haar ongelovig aan te kijken.
'Nee hoor! Ik wil alleen maar...'
Jenny knikt koeltjes.
'Ik weet wel wat jij wilt: bij dat groepje horen. Nou, jij liever dan ik. See you!'
Jenny loopt weg en dan zie ik Joy breed naar me glimlachen.

Joy doet met me wat zij wil... De opmerking van Jenny blijft in mijn gedachten rondspoken.
In de klas hangt een nare sfeer. Jenny kijkt niet of nauwelijks naar me terwijl Joy op allerlei manieren mijn aandacht probeert te trekken. Arie stuurt me een paar spottende blikken. Gelukkig gaat de bel snel.
Zoals altijd lopen Jenny en ik samen naar het fietsenhok.
'Luister even, Mara', begint Jenny en ze houdt me met een arm tegen. 'Moet ik tegen je ouders zeggen dat je met je vriendinnen mee bent? Dan maken ze zich minder zorgen.'
'Ach, nou en! Ben ik één keer wat later, die saaie pieten...'
Jenny pakt snel haar fiets. Ik weet wel wat ze denkt nu.
'Jen, Jenny, ik bedoel natuurlijk niet dat jij saai bent...'
Maar ze fietst weg zonder antwoord te geven. Op dat moment komt Joy het fietsenhok binnenstormen. Ze wenkt me.
'Kom nou, we staan al uren op je te wachten.'

Bij de poort staan Pascal, Marit en een paar andere meiden en Arie crost op zijn fiets rondjes eromheen.
Ze lachen en gillen, Arie bombarie is stoer.
Opeens fietst de hele club weg, ik moet zorgen dat ik de rest bijhoud. Joy komt naast me rijden.
'Zag je Jenny? Wat keek die vuil! Zeker beledigd dat ik haar niet heb meegevraagd. Balen hè, dat school weer begonnen is. Ik heb nu al zin in het weekend, dan heb ik paardrijkamp. Ga jij nog wat doen?'
Ik vertel dat Kris binnenkort vijf wordt, maar dat vindt Joy niet boeiend. Voordat ik er erg in heb, zeg ik dat ik dit weekend mijn haar blond ga verven.
'Fantastisch! Net zo blond als ik ben?'
'Dat mag toch wel?'
'Hartstikke goed!'
Nu nog zorgen dat het thuis mag...

We fietsen dwars over het marktplein en het maakt ons niet uit dat mensen voor ons opzij moeten springen.
Het is maar goed dat mama dit niet weet. Als ze ergens een hekel aan heeft, dan is het wel aan fietsers 'die nergens op letten'.
We racen door het rode stoplicht en ik heb nog steeds geen idee waar we heengaan. Ik fiets dom achter de rest aan en durf niets te vragen. Ineens stopt iedereen en ik moet zo hard remmen dat ik bijna val. Gelukkig zien ze het niet. Arie gooit zijn fiets neer en rent naar de vijver. Er ligt ijs op.
Ook Joy, Marit en Pascal knikkeren hun fietsen op de

grond, ik zet de mijne voorzichtig op de standaard en
op slot. Joy schiet in de lach.
'Ik heb mijn fiets nog niet zo lang', zeg ik.
'Wat truttig! Hebben we toch nog een Jenny bij ons.
Durf je wel op het ijs?'
Ik kijk Joy verbaasd aan. Ze haalt haar schaatsen uit
een mooie rugzak en ik zie nu pas dat ze allemaal hun
schaatsen bij zich hebben. Zouden ze dit al in de kerst-
vakantie hebben afgesproken?
'Ik heb geen schaatsen bij me.'
'Dan kun je op onze spullen passen. Zo terug!'

Daar zit ik dan, in mijn eentje op een bankje terwijl
de rest lekker schaatst en lol heeft. Ineens denk ik aan
Jenny, aan wat wij samen allemaal doen: theedrinken,
tekenen, sieraden ontwerpen en maken, koekjes
bakken en natuurlijk eindeloos kletsen. Bij haar of bij
mij thuis. Hoe laat zou het al zijn? Stiekem rol ik mijn
mouw een eindje op. Tien voor half vijf al!
'Mis je je mammie?'
Ik val bijna van het bankje van schrik. Arie kijkt me aan
met één van zijn spottende blikken.
'Nee, ik was gewoon even de tijd kwijt.'
'Je mag zo naar huis, Mara, naar je mammie.'
Hij schaatst met lange slagen weg. Daar zit ik, weer
alleen. Om mij heen doen kinderen hun schaatsen aan.
Die zijn vast eerst naar huis gegaan om hun schaatsen
te halen en te zeggen waar ze heengingen en tot hoe
laat. Wat doe ik hier eigenlijk?

'Hé Mara, wat leuk dat jij hier ook bent', klinkt het
opeens naast me. Ik kijk op en zie Jenny's oudere zus.
'Waar is Jenny?'
'Weet ik niet.' Ik hoop maar niet dat ze ziet dat ik knal-
rood word.
Ze kijkt verbaasd en ziet dan Joy met haar vriendinnen
en Arie op het ijs. Arie ziet haar ook.
'Hé, ik ken jou', roept hij met schrille stem. 'Jij bent
Mickey, de zus van duffe Jenny.'
De groep lacht hard om brutale Arie en kijken nieuwsgierig hoe Mickey en ik zullen reageren. Mickey kijkt
van hen naar mij en weer terug. Ze is laaiend. Ik
verstop me achter mijn sjaal.
'Wegwezen', joelt Joy.
'Wat een leuke nieuwe vrienden heb jij', zegt Mickey op
hooghartige toon.
Van binnen gil ik: nee, nee, nee! Maar ik houd mijn
mond en staar naar de punten van mijn laarzen. Ik zie
in mijn ooghoek enkel nog haar vlammend rode haar
langzaam uit mijn zicht verdwijnen. Spijtig kijk ik
Mickey na. Nu heb ik het bij iedereen verpest.

Ik sta op en zwaai naar de anderen. Pascal roept:
'Morgen je schaatsen niet vergeten.' Ik knik, ik heb het
begrepen. Mijn fiets trapt erg zwaar ineens. Met lood
in de schoenen fiets ik naar huis. Wat zullen papa en
mama zeggen? Zal Jenny nog wel met me praten? Wat
heb ik gedaan? Ik hoor nog steeds het vrolijke gelach
van al die schaatsende kinderen in de verte. Het is alsof

ze me uitlachen.

Zo onhoorbaar mogelijk rijd ik de oprit op. En ineens staat papa in de deuropening van de garage. Ik schrik me rot!

'Zal ik even plaats voor je maken, Mara?'

Met een wijde boog zwiert hij de deur open zodat ik er makkelijk langs kan. Bangig kijk ik papa aan. Nu komt de preek.

'Het is maar goed dat je Jenny doorgaf waar je was. Je snapt toch wel dat we anders echt ongerust waren? Dan had ik de stad in gemoeten om je te zoeken. Waar had ik moeten beginnen?'

In gedachten zie ik papa al overal zoeken. Stel je voor dat hij me gevonden had. Dat zou pas een afgang zijn geweest. Joy en Arie zouden er nog lang grappen over maken als mijn vader me was komen ophalen. Dat mag echt niet gebeuren.

'Papa, morgen ga ik weer met mijn vriendinnen naar de vijver. Dan neem ik ook mijn schaatsen mee.'

Hij kijkt me doordringend aan. 'Mara, heb je soms ruzie met Jenny?'

'Nee hoor', zeg ik haastig terwijl ik denk: hoop ik. Die Jenny. Heeft ze het toch gezegd. Wat aardig.

Bijna puber

Mama is in de keuken en Kris is in de kamer druk
bezig met zijn knuffel Dollie. Hij probeert de dolfijn
kleertjes aan te doen. Lekker onhandig, zoals jongens
dat kunnen. Met zijn tong uit zijn mond schuift hij
een knoop door het gat. Maar de knoop wil niet en dan
vliegt Dollie door de lucht en eindigt op de bank, waar
ik net ben neergeploft.
'Dollie is ook ziek, heel erg ziek', verklaart Kris met
ernstig gezicht terwijl hij de kastdeur openmaakt en
zijn dokterskoffer tevoorschijn trekt.
'Dat kan helemaal niet', plaag ik hem.
'Wel waar', brult Kris en vervolgens zijn we zo aan het
schreeuwen, dat we niet in de gaten hebben dat papa
vanuit de garage en mama vanuit de keuken de kamer
binnen komen stuiven.
'Nou, dat begint goed', bromt papa.
Kris wijst naar mij. 'Zij zei...'
Ik houd Dollie omhoog. 'En hij denkt...'
'Ophouden. Het wordt al moeilijk genoeg. Mara,
geef die dolfijn terug en Kris, ik hoorde wel wat jullie
zeiden. Dollie kan best ziek zijn.'
Ik smijt het knuffelbeest morrend naar Kris.

'Ik dacht dat wij nooit mogen liegen mama... en volgens mij lieg jij nu enorm.'
Papa kijkt me heel streng aan.
'En nu geen geklets meer. Dek de tafel maar.'

Ik heb ook helemaal geen zin meer om te praten. Een beetje boos kwak ik de borden op tafel. Zonder een woord te zeggen zet papa de pannen op de onderzetters. 'Mmm macaroni, ik wil lekker veel', zegt Kris. Mama glimlacht en geeft hem een aai over zijn bol. Mij kijkt ze niet aan.
Ik heb mijn bord al bijna leeg als papa opeens zegt: 'Morgen is Mara na schooltijd ook bij Joy thuis.'
Nu kijkt mama wel naar me. Maar zonder glimlach. Ik gloei.
'Alleen? Met die au pair? Of hang jij met dat groepje soms wat rond in het winkelcentrum?'
Ik houd stug mijn mond en mama strijkt een haarlok achter haar oor. Ze raakt een tikkeltje geïrriteerd.
'Mara...'
'We gaan gewoon schaatsen!' Snel stop ik weer een hap in mijn mond.
Mama haalt diep adem.
'Ik wil eigenlijk niet dat jij met die Joy omgaat.'
Ondertussen heeft papa voor een tweede keer opgeschept. Ook Kris wil meer, hij zwaait wild met zijn lepel. Het bord van mama is nog driekwart vol.
'Mariska,' bromt papa, 'daar komt ze zelf wel een keer achter.'

Waar moet ik nu weer achter komen?

Het begin van het nieuwe jaar is helemaal niet leuk. De kamer is saai zonder de kerstversieringen en ik mag niks. Niet eens schaatsen met vriendinnen. Ik heb toch net gezegd waar ik morgen na school ben? Wat moet ik nog meer doen dan? Ik kan het net zo goed meteen nog erger maken.

'Mag ik in het weekend mijn haar verven?'

Mama wil net een hapje nemen en de vork blijft halverwege hangen. Ze wordt vuurrood en papa's wenkbrauwen schieten verbaasd omhoog. Ik herhaal:

'Mag ik dan in het weekend mijn haar verven?'

'In het paars met allemaal witte vlekjes?'

'Reuzegrappig, Kris.'

'Ja hè?', grijnst hij.

'Nee!', roept mama als haar gezicht de normale kleur weer heeft. Ze legt haar vork op haar bord en kijkt me boos aan. 'Ben je gek geworden, Mara?'

Dan draait ze zich naar papa: 'Zie je die invloed van Joy?'

Papa kijkt mij even bedenkelijk aan. 'Heb je moeilijkheden met Joy, Mara?'

Ik staar somber naar mijn broertje die nu zijn bord ondersteboven zet.

'Nee, maar jullie wel met Kris.'

'En nu houden jullie op. Allebei', snauwt papa.

Terwijl papa druk bezig is alles van de tafel te vegen,

duw ik gauw mijn stoel weg en stamp nijdig de trap op naar mijn kamer. Ik weet niet meer wat ik nog moet uitleggen.

Beng!

De deur valt dicht en de schilderijtjes wiebelen dreigend. Waren ze maar van de muur geknald! Stortte het hele huis maar in! Van kwaadheid rolt de ene na de andere traan langs mijn wangen. Wacht maar tot ik achttien ben. Dan ga ik meteen het huis uit en kan ik lekker doen wat ik zelf wil. Net als Joy. Stel je toch eens voor, je kunt doen wat je wilt... Ja, Joy heeft het getroffen. Die Jacky, hoe oud zou die zijn? Een jaar of twintig denk ik. Joy laat zich door haar niet op de kop zitten, zeker weten. En ik... wat mag ik nou? Ik ben al tien jaar hoor! Ik laat me plat op mijn bed vallen en voel me vreselijk zielig.

Vandaag kom ik niet meer mijn kamer uit. Ik ga een schilderij maken. Vanonder het bed trek ik een grote platte doos vol met kralen en pailletten naar me toe. Mijn naaldjes, draad, lijm, schetsboek, potloden en krijtjes pak ik er ook bij. Binnen een paar minuten heb ik iets moois op papier met veel rood, zwart en oranje. Het lijkt wel of het in brand staat.

Druk beweeg ik met mijn krijtjes over het schetsboek. Voorzichtig plak ik wat glitter op het papier. Ik moet mijn gedachten erbij houden, anders ga ik kliederen. Langzaam glijdt de boosheid van me af. De kwade gedachten verdwijnen vanzelf. Net als ik de doos kralen wil openmaken, wordt er op de deur geklopt.

Nog voordat ik 'wie is dat?' kan roepen, komt mama binnen. Ze ziet er een beetje afgetobd uit, alsof ze net wakker is geworden. Ze kijkt mijn kamer rond.

'Hoe houd jij alles hier zo mooi helder?'

'Die viespeuk van een Kris mag hier niet komen', antwoord ik meteen.

Mama schiet niet in de lach. Ze zegt alleen maar:

'Mooi. Dan kan jij me voortaan helpen met poetsen.' Ze laat zich op mijn bedrand zakken, afwezig staart ze uit mijn raam. Ze ziet mijn kunstwerk niet eens. Ik schrik ervan.

'Heb je nog steeds pijn, mama? Ik dacht...'

'Nee,' zegt ze luchtig, 'maar ik wil het er wel met je over hebben, want je hebt natuurlijk wel door dat het niet niks is. Ik zou je toch vertellen over de echo? Voordat die gemaakt kon worden, moesten er eerst andere dingen gebeuren.'

Ik draai me op mijn bureaustoel naar mama toe en ze begint met uitleggen.

'In het ziekenhuis kreeg ik eerst een borstonderzoek. Ze klemden mijn bovenlichaam, mijn borsten, tussen twee platen in een apparaat dat dwars door je lichaam heen kan kijken en foto's van je binnenkant kan maken.'

'Deed dat pijn?', vraag ik een beetje benauwd.

'Van die foto's voel je niets, maar dat apparaat klemt heel strak, als een soort bankschroef – je weet wel, waar je iets tussen kunt vastzetten.'

Ik ril.

'Toen prikten ze met een naaldje in mijn borst en haalden ze er een ministukje vlees weg, om in het laboratorium te onderzoeken. Ik denk onder een microscoop, maar dat weet ik ook niet precies.'

Nu staat het kippenvel echt op mijn armen en ik hoor papa van halverwege de trap roepen: 'Houd eens op met het bang maken van Mara, Mariska!'

Ik griezel wel, maar ik ben heus niet bang. Hoe komt hij daar nou bij? Ik roep terug: 'Ik wil het juist horen, maar ik hoef alleen nooit borsten!'

'Zie je nou, daar heb je het al', horen we hem mompelen.

Mama staat op en zegt in de deuropening tegen papa: 'Ik leg uit wat er gebeurt. Ze is te groot voor al het geheimzinnige gedoe, dat is pas eng. Vrouwen hebben nu eenmaal borsten. Mara is binnenkort een puber, wen er vast aan!'

'Ja!', roep ik trots. Puber, dat klinkt belangrijk, dan mag je grotemensendingen weten.

We wachten allebei op papa's reactie. Maar papa reageert niet. Hij loopt met zware stappen de trap af en snift alsof hij opeens verkouden is.

'O,' fluistert mama, 'daar gaat iets niet goed, geloof ik. Maar... wil je nog wel over de echo horen? Dit is niets engs. Weet je nog?'

Een echo is leuk, dat is een apparaat waarmee je de

binnenkant van je lichaam ziet als een fotokopie. Ik mocht een keer mee naar het ziekenhuis toen mama Kris in haar buik had. Ik was klein, maar ik weet het nog precies. De dokter smeerde eerst een soort haargel op mama's dikke blote buik en toen liet hij er een scanner, dat is een lamp die door je vel heen kijkt, over glijden.

Op een computerscherm naast mama zagen we zwarte vlekken, grijzige mistige figuren. De dokter wees en zei blij: 'Zien jullie, dat is het baby'tje.' Ik moest goed kijken en toen zag ik het kindje ook, dat zwom zomaar in mama's buik! Maar nu? Wat zwemt er in mama's borst? Wat ziet de dokter nu?

'Ze bekijken het borstweefsel, weefsel is ehm, de stof, het vlees om onze botten. Pff, ik vind het lastig om uit te leggen. Snap je het wel Mara?'

Ik knik een beetje scheef met mijn hoofd, half ja, half nee. Mama slaat haar arm om me heen. 'Ik snap ook niet hoor, hoe het allemaal kan gebeuren. Maar de dokters zagen dus een zieke borst.' Ze geeft me een zoen op mijn wang en zegt dan vrolijk: 'Dus nu weet je wat er allemaal is gebeurd in het ziekenhuis. Boze bui over?'

Ik knik weer half ja, half nee.

'En mag ik mijn haar verven? Voor als Kris jarig is?'

Ik kijk haar hoopvol aan, maar ze schudt woest haar hoofd.

'Dat heb ik al gezegd. Je bent pas tien jaar.'

'Maar al bijna puber!'

Mama grinnikt, ik denk dat ze me uitlacht. 'Dat klopt Mara, maar maak nu eerst je prachtige kunstwerk af.' Het lukt me niet zo goed. Wanneer zal ik borsten krijgen? Mag ik dan pas mijn haar verven? Wat is daar nou erg aan? Wat maakt het uit welke kleur je haren hebben? Ik heb gewoon zin in blond haar.

Het briefje

Die ochtend staat Jenny niet op de hoek op me te wachten. Terwijl ik veel te vertellen heb. Over mama die ziek is en dat ik mijn haar niet mag verven, dat ik een mooi schilderij heb gemaakt, dat ik een beetje bang ben voor de zieke borst van mama, dat... Ik slik en trap door. Isabel, Marit, Arie en Pascal staan me al bij de poort op te wachten, dat is leuk. Pascal komt naar me toe.

'Ha Mara! En, heb je schaatsen bij je?'

Ik kijk Pascal lachend aan en wijs naar mijn rugzak.

'Ja. Extra groot. Mooi hè.'

Maar Pascal kijkt er gewoon naast. Ze vindt het niet echt interessant.

'Kom. Joy staat daar ergens.'

Terwijl we ons langs groepjes jongens en meisjes wurmen zie ik Jenny bij haar zus staan. Mickey praat en praat, ze heeft het vast over mij. Jenny zegt niets terug, ze haalt alleen haar smalle schouders op. Ik vind Jenny er dun en treurig uitzien. Ze is altijd wat ernstig en nu lijkt het nog erger. Eigenlijk wil ik naar haar toe lopen, maar dat kan niet.

Pascal sleept me mee naar Joy, die midden op het plein staat zodat iedereen haar kan horen en zien. Ze schettert en lacht gillerig en in haar jas met glitters en kraag van nepbont valt ze op. Heel even denk ik 'wat een aansteller', ik ben natuurlijk gewoon jaloers. Daar kan ik met Jenny niet over praten, die vindt Joy overdreven. Ik zou best een beetje meer Joy willen zijn.

Ik krijg natuurlijk nooit zulke kleren en mijn nieuwe spijkerbroek zit in de was. Opeens schaam ik me voor mijn ribbroek. Als ik ouder ben, wil ik kleedgeld, dan kies ik alles zelf uit.

'Ha Mara', Joy steekt haar hand omhoog om te *high fiven*. Jenny noemt dat altijd minachtend 'handjeklap', ik klap nu vrolijk terug.

'Hé Joy, wat zie jij er flitsend uit!'

Iedereen draait zich in een ruk om. Voor ons staat een vrolijk lachende jongen, we kennen hem niet. Ik slik en staar hem aan en krijg vast een kop als een boei. Wat een mooie jongen... met die blonde krullen.

Joy gilt haar klaterlach. 'Steven! Wat doe jij hier?'

'Ik kom hier op school, we zijn verhuisd. Alles goed? Je bent anders.'

Joy krult nuffig haar neus, wij kijken verbaasd van Joy naar Steven. Hoe kennen zij elkaar en hoezo is Joy veranderd? Ze zit hier nu al twee jaar op school, we kennen haar niet anders.

'Ach joh, Steef, toen was ik nog een kleuter', giechelt ze. Dan zegt ze verwaand: 'Steven en ik kennen elkaar uit Amsterdam, we hebben daar bij elkaar op school gezeten. Maar toen moest ik verhuizen.'

'Ga je me vertellen wie dit allemaal zijn, Joy? Wie ben jij?' Hij kijkt me nieuwsgierig aan. Nu heb ik zeker een rood hoofd.

'O, dat is Mara. Haar vader maakt reclames en ik ben model, dus...' Ze drommen allemaal om Joy heen nu.

'Ik ga naar binnen', mompel ik en draai me om.

'Wacht even', hoor ik Steven achter me als ik de hal inloop.

'Is het Joy gelukt om model te worden? Niet verder vertellen hoor, maar dat wil ze dus echt haar hele leven al. Toen we samen in de zandbak speelden, deed zij altijd modeshowtje. Maar wat voor reclames maakt jouw vader dan?'

'O zoveel.' Ik kan niet zo goed nadenken, ik zie alleen maar Joy en Steven samen in de zandbak.

'Is jouw moeder ook model?', vraagt Steven. Ik schiet in de lach.

'Nee joh! Mijn moeder helpt mijn vader, met rekeningen betalen, opdrachten regelen en dat soort dingen. En ze zorgt voor mijn broertje en mij. Vermoeiend, vooral mijn broertje dan.'

Steven lacht en kijkt me aan. 'Nou ja, model... het had gekund als jij een beetje op haar lijkt tenminste.'

Ik blijf aan de grond genageld staan en kan alleen nog stotteren. 'Mijn moeder, die is...'

Ineens staat Joy bij ons. Ik slik snel mijn woorden in.

'Steven,' zegt Joy met haar liefste stemmetje, 'hoe is het

in Amsterdam? Je zal wel moeten wennen hier hoor.
Ik ben blij dat ik nog een paar dagen heb geskied in de
kerstvakantie. Want je kunt je echt vervelen hier.' Ze
pakt hem bij de arm en troont hem mee naar de klas.

Daar sta ik dan in mijn eentje. Joy heeft hem gewoon
van me afgepakt, het is maar goed dat ze niet heeft
gehoord wat hij zei. Over mijn moeder, model, zou
hij...
'Nu al je nieuwe vrienden kwijt?' De stem van Jenny
klinkt niet eens gemeen. 'Ze lachten je uit toen jij hier
met een knalrode kop stond met die nieuwe. Behalve
Joy, die is volgens mij kwaad.'
'Jenny, je bent gewoon jaloers.'
'Niet waar! Ik vertel je alleen maar wat ik zie. Die Joy
kan met je doen wat ze wil. Weet je nog? Zij weet heus
wel hoe graag iedereen bij haar hoort. Het lijkt wel
of de hele wereld bij haar en dat stomme groepje wil
horen!'
Jenny snuift. 'Je hebt haar zelfs een modellenbaan
beloofd. Nou, regel dat maar lekker met je pa. Als het
niet doorgaat, lig je eruit. Nog meer dan ik.'
'Stop nou.' Meer weet ik niet te zeggen, want Jenny
heeft natuurlijk zoals altijd gelijk, maar ik ben wel
beledigd.

In de klas zit Angela te giebelen met haar buurvrouw,
Pascal en Joy schrijven briefjes naar elkaar. Soms klinkt
er gegiechel dat meteen verstomt als juffrouw Schiks

streng de klas in kijkt. Arie bombarie zit te klieren met
Kas. Ze duwen elkaar voor de grap van hun stoel en
hebben de grootste lol. Jenny ergert zich dood, ze blaast
vermoeid voor zich uit.

'Juffrouw, Jenny heeft het warm, geloof ik', roept Joy.
'Ach,' leeft juffrouw Schiks mee, 'wil je een glaasje
water drinken?'

Jenny smijt haar stoel opzij en rent de klas uit. Ik staar
haar geschrokken na. Dit is niets voor haar. Joy en
Pascal gniffelen, Arie trekt gekke bekken naar me. Ik
kijk geschrokken naar mijn tafeltje, wat moet ik doen?
Haar achterna rennen? Lang hoef ik er niet over na te
denken, juf staat op en loopt de klas uit. Ze laat de deur
open, wij durven geen geluid te maken.

Ze komt al snel terug. Jenny schuifelt met gebogen
hoofd achter haar aan.

'Het is alweer goed. Jenny was even kwaad op iemand,
dat kan gebeuren. Het zal zo wel weer overgaan.' Juf
kijkt Joy streng aan.

Als ik omkijk, zie ik dat Steven me aankijkt. Ik word
verschrikkelijk verlegen en met een schaapachtig
glimlachje draai ik me meteen weer om. Mijn wangen
gloeien. Hopelijk heeft niemand het gezien.

Tijdens de taalles valt er een briefje op mijn tafel. Ik
vouw het open.

Hoe kun jij nog vriendin blijven met Jenny!

Het staat er echt. De letters dansen voor mijn ogen en ik blijf het bekijken. Wat is hier de bedoeling van? Wie heeft het geschreven? Joy, Marit, Isabel, Pascal of... misschien Arie wel, die kijkt me zo raar aan. Ik maak er een propje van, maar daar ben ik te laat mee.

'Mogen wij ook zien wat er staat, Mara?'

Ik schrik me kapot als ik juffrouw Schiks hoor, snel schiet mijn hand met het propje erin onder tafel. 'Kom maar even naar voren en neem dat briefje mee.'

Het is doodstil in de klas, zelfs Joy en Pascal houden hun adem in. De stoel piept als ik hem naar achteren schuif, mijn benen trillen, de juffrouw wenkt ongeduldig.

Haar geopende hand houdt ze net zo lang voor mijn neus tot ik het propje erin leg. Nu gaat ze het briefje voorlezen! Ik wil verdwijnen, ik schaam me rot. Ik houd mijn ogen strak gericht op de grond. Iedereen staart me aan, dat voel ik. Isabel, Pascal, Joy, Marit, Arie, allemaal. Steven zal me afschuwelijk vinden en Jenny, hoe zal zij reageren?

'Wie heeft jou dit gestuurd?' Juffrouw Schiks zet de bril beter op haar neus en wacht op antwoord, maar niemand zegt iets. Woedend verscheurt ze het briefje tot snippers. Ik heb het warm en koud tegelijk. Ze heeft het briefje gelukkig niet voorgelezen, maar opgelucht ben ik niet.

'Hoe dom kun je zijn', sist Joy als ik voorbij schuifel. Ik doe of ik haar niet hoor en plof op mijn stoel. Het is me nu wel duidelijk wie het geschreven heeft.

Scheuren in het ijs

Als ik uit school kom, wacht er niemand op me. Joy niet, Pascal niet en Jenny al helemaal niet. Die wil me vast nooit meer zien, gelijk heeft ze. Ik ben weer net zo alleen als vanochtend. Om me heen racet iedereen het schoolplein af. Snel pak ik mijn fiets en ga richting de vijver.

Het is er al druk. Fietsen liggen kriskras op de grond, op bankjes zitten kinderen hun schaatsen vast te maken, soms geholpen door een moeder of vader. Op het ijs krabbelen de kleintjes, anderen doen tikkertje en Joy zwiert er tussendoor op haar spierwitte kunstschaatsen. Mij lukt het zelfs nauwelijks mijn schaatsen aan te krijgen. Ik ben zenuwachtig, echt vaak heb ik eigenlijk niet geschaatst.

Voorzichtig stap ik op het ijs en glijd meteen bijna onderuit. Ik krabbel onbeholpen door, ik ben nog lang geen Joy, dat is duidelijk. Ik kijk naar de punten van mijn schaatsen en doe voorzichtig nog een slag en nog een.

Boem.

'Hé, kun je niet uitkijken!' Een grote jongen op hockey-schaatsen kijkt me boos aan.

'Sorry', mompel ik en schaatskrabbel weg. Ai, een scheur in het ijs. Het ijzer van mijn schaats blijft hangen en ik tuimel zo achterover. Met mijn billen op het ijs. Verbaasd kijk ik op. Hoe doet iedereen dat toch? Een paar meter verderop draait Joy vrolijke rondjes, ze zwiert als een ijsprinses en kan zelfs bochtjes achteruit zonder tegen iemand aan te botsen. Zij wel. Joy kan alles wat ze wil. Ze kan zelfs mij onzichtbaar maken, want niemand heeft me nog gezien. Behalve de grote jongen tegen wie ik opbotste en dat was nou net niet mijn bedoeling. Wat ik wel wil, weet ik ook niet. In elk geval niet op mijn billen op het ijs zitten! Zo snel ik kan, krabbel ik weer overeind. Mijn broek is kletsnat.

'Hé Mara!' Bekend geluid wat op Steven lijkt. Ik draai me zo snel ik kan om en wankel natuurlijk alweer op mijn benen. Mijn armen zwiepen in het rond om mijn evenwicht niet te verliezen. Hij zal wel denken: die Mara is inderdaad een sukkel.

'Pas op, je valt', hij grijpt mijn arm net op tijd vast.

'Ach,' mompel ik, 'vallen kan ik heel goed toevallig.' Daar moet Steven om lachen. En opeens staat Joy naast me, blijkbaar heeft Steven de betovering verbroken en ben ik weer zichtbaar.

'Ha Mara, ben je gevallen?' Ze kijkt smalend naar mijn natte broek.

Nee, ik heb in mijn broek geplast, denk ik en kijk haar

nors aan. Joy draait een rondje om ons heen en stopt precies naast Steven. Hij merkt het niet.

'Gaat het wel?', vraagt hij bezorgd.

Ik knik trillerig. Hij moet niet zo doen, ik word er verlegen van en dat merkt Joy natuurlijk ook. Dus ik doe ik net of ik de blauwe plek op mijn bil niet voel en glimlach dapper.

Joy schudt haar blonde haar naar achteren. 'Ga je mee schaatsen, Steef? Als je hier lang staat, zak je nog door het ijs.' Ze wacht niet eens op hem, ze gaat er gewoon vanuit dat hij achter haar aan zal schaatsen. Wat hij nog doet ook. Ik zou best door het ijs willen zakken nu. Langzaam krabbel ik terug naar de kant.

Als ik van het ijs wil stappen, staat Joy opeens weer naast me.

'Ik wilde het net niet zeggen met Steef erbij, maar ik waarschuw je: waag het nooit meer mijn briefjes te laten lezen! Je moet ze pas openvouwen als het kan! Klungel, dat je daar zelf niet aan denkt. Jij past echt bij Jenny. Het antwoord op het briefje hebben we dus al.'

Ik zeg niets terug.

'Je zou je haar toch blond verven? Durf je niet? Baby.' Zonder nog op een weerwoord te wachten, glijdt ze weg en al snel weerkaatst haar klaterlach alweer over het ijs. Waarom doet ze zo gemeen? Wat wil ze toch? Ik begrijp er niets van en knipper met mijn ogen.

Thuisgekomen gooi ik de schaatsen in een hoek. Weg

met die dingen! Boos stamp ik de trap op, regelrecht
naar mijn kamer. Mama roept me, maar ik doe of ik
doof ben.
'Eten! Eten! Eten!', jubelt Kris. Voor ik de deur van mijn
kamer dichtsmijt, hang ik mijn bordje *niet storen* aan
de buitenkant. Beneden hoor ik de harde geluiden van
borden, pannen en bestek. Ik wil ze niet horen, ik moet
nadenken. Ik doe de radio aan. Bah, een stom liefdes-
liedje. Ik begraaf mijn hoofd onder de kussens en ben
boos op mezelf, op Joy, op juf, op mama, op allemaal.
Alles gaat mis. Zouden anderen dat nou ook hebben?
Joy is echt gemeen, Jenny heeft gelijk. Maar toch, waar
Joy is gebeurt er tenminste altijd wat. 'Joy kan met je
doen wat ze wil', echoot Jenny's stem in mijn hoofd.
Wat vindt Steven eigenlijk van Joy? Volgens mij vindt
hij mij best leuk. Zou Joy jaloers zijn?
'Mara, kom nou', hoor ik Kris onderaan de trap. Papa
komt naar boven, ik hoor het aan de voetstappen op de
trap.
Hij klopt op de deur. Ik doe morrend open en schrik.
Papa ziet er grauw uit, ongeschoren ook. Hij kijkt me
bezorgd aan. 'Wat is er, Mara?'
Ik haal mijn schouders op. Er is van alles, of nou ja,
misschien valt het wel mee. Ik weet niet zo goed wat
ik moet zeggen. 'Ik heb gewoon geen honger. Wat is er
met jou, papa? Je ziet er wild uit met die stoppeltjes.'
Er glijdt een schaduw over zijn gezicht.
'Het valt niet mee Mara, voor ons allemaal niet. Morgen
ga ik met mama weer naar het ziekenhuis. Als je uit

school komt, zijn opa en oma er. Je komt morgen dus meteen uit school naar huis, afgesproken.'

'Dat weet ik nog niet hoor', antwoord ik nukkig.

Papa kijkt nu niet meer bezorgd, maar kwaad.

'Luisteren, Mara. We hebben een afspraak om half twaalf. Punt uit.' Het lijkt net of hij nog iets wil zeggen, maar zich toch bedenkt. 'En nu kom je mee naar beneden.'

'Wat gaan ze met mama doen in het ziekenhuis', piep ik.

Papa draait zich om in de deuropening en haalt diep adem.

'Een botscan maken.'

Hij zucht. Ik kijk hem onbegrijpend aan. Hij stopt zijn handen in zijn zakken, haalt ze er uit, wrijft aan zijn kin. 'Ze gaan mama's botten bekijken met een scan. Je weet wel, net als de scanner van een pc. Ze gaat dus in een apparaat dat door de huid heen een afdruk van de botten kan maken.'

'Maar waarom?'

'Kom eerst maar eten', bromt papa.

Ik heb nog veel meer vragen. Er raast vanalles door mijn hoofd. Ik zie mama voor me als boodschap bij de kassa van de supermarkt, liggend op de toonbank, gescand door zo'n piepend apparaatje. Mama op een soort kopieerapparaat. Het moet dan wel een groot ding zijn, anders past ze er niet op. Wat vreemd.

En waarom? Voor de botten. Daar zitten toch geen

borsten? Weer een raadsel erbij dat vandaag niet meer
wordt opgelost. Want nadat mama Kris naar bed heeft
gebracht, gaat steeds de telefoon.

'Papa vindt het lastig om alles te vertellen', zegt ze
zacht als ze me welterusten komt zeggen. Ik knik.
Maar ik wil het zo graag weten.'
Nu knikt mama ook. 'Dat weet ik, de dokter gaat
morgen alleen voor de zekerheid kijken. Of verder alles
goed is.'
'Wat kan er nog meer niet goed zijn?'
'Niets, het komt goed', sust mama. Maar ik weet het
nog niet zo zeker.
Om in slaap te komen, noem ik zachtjes alle kleuren
op die ik ken. Wit, lichtgeel, zonnegeel, oranje, rood,
paars, blauw, groen...

Gestipte botten

Het is zo stom op school dat ik niets liever wil dan naar huis, naar opa en oma. Ze zitten in de kamer een spelletje te doen met Kris. Ik heb geen zin om mee te doen. Als Kris verliest, gaat hij altijd gillen en ik wil hem niet zomaar laten winnen.

Ik weet iets beters: ik ga mijn haar verven! Jenny heeft wel eens zelf haar pony geknipt, dus hoeveel moeilijker kan verven zijn? Ik kan die bruine krullen niet meer uitstaan. In de badkamer staat alleen shampoo, crèmespoeling en scheerschuim. Daar heb ik niets aan. Mijn plakkaatverf is ook niet zo'n goed idee. Papa heeft wel allerlei verf in zijn atelier, maar daar zit vast ook niets bij voor in mijn haar.

Ik zoek de kastjes af, op een krukje sta ik voor de plank schoonmaakmiddelen. Spiritus, schuurmiddel. Chloor. Wat als ik mijn haren met chloor bleek? Bleekmiddel maakt overal lichte vlekken in, dus vast ook in mijn haar. Ik ga *highlights* maken, van die blonde plukken en als die lukken verf ik al mijn haren.

Eerst was ik mijn haar, ik wrijf het droog met een handdoek en borstel voorzichtig alle klitten eruit. Ik kijk in de spiegel naar mijn klamme piekharen. Voorzichtig draai ik de dop van de chloorfles, doop er een verfkwastje in... Nu is het grote moment daar...

Met het kwastje verf ik plukken van mijn haar met chloor. Het stinkt en snel draai ik de dop weer op de fles. Ik hoop maar dat er geen vlekken in de handdoek komen. De plukken worden groen, mijn haar moet vast eerst goed drogen.

'Joehoe Mara, heb je ook zin in chips', roept opa van beneden.

Ja, natuurlijk heb ik zin in chips! Hoe moet dat nu? Ik zet gewoon mijn pet op.

'Wat ruikt het opeens lekker fris, je hebt zeker je kamer schoongemaakt', zegt oma. Ik knik enthousiast. 'Je bent een lief kind, fijn dat je je moeder zo goed helpt.'

Ik slik. Mama vindt mij vast helemaal niet lief.

'We hebben chips gegeten, ik heb drie keer gewonnen en Mara is stoer', ratelt Kris als mama en papa nog niet eens hun jassen uithebben.

'Rustig aan Kris, laat ze eerst even binnenkomen', zegt opa en neemt hem mee de kamer in. Oma heeft koffie gezet en zit al in de kamer te wachten. Ongeduldig kijken we naar mama.

Mama bekijkt me nieuwsgierig van alle kanten. 'Wat verberg jij onder die pet?'

'Niets!', roep ik haastig terug. 'Iedereen draagt zo'n ding. Heb je dat nog niet gemerkt? Kijk, ik heb er met kraaltjes mijn letters op gemaakt: MC, voor- en achternaam. Net echt, hè?'

'Hm', doet mama, terwijl ze de gang weer inloopt. 'Nou Jorn, die vijf bekers thee lijken wel een waterval, ik moet alweer naar de wc.'

Ik haal opgelucht adem, mama vraagt niet verder gelukkig. Maar vijf bekers thee?

'Moesten jullie lang wachten?', vraagt oma.

'Dat viel mee. Maar ik moest anderhalve liter achter-elkaar opdrinken. Door het water zien ze beter hoe de botten zijn opgebouwd. Dan zien ze allemaal rode en zwarte puntjes op het scherm die laten zien of de botten goed zijn of niet. Dus of er ongezonde stukjes inzitten. Ik vind het knap hoor, dat dokters dat kunnen zien! Al die stipjes zien er voor mij hetzelfde uit, dus het is maar lastig uit te leggen.' Mama kijkt mij even aan, of ik het nog snap.

Ze haalt een kunstboek van papa uit de kast met voorop een schilderij van mensen die picknicken op het gras. De schilder heeft allemaal kleine stipjes geschilderd. Als je van heel dichtbij kijkt, zie je alleen stipjes en van iets verder weg zie je mensen die lekker op het gras aan het eten zijn. 'Kijk, zo is het beetje. Ik zie de stipjes en de dokters zien het hele beeld van de botten. Zij weten wat het beeld te vertellen heeft.'

'En wat zeiden de botten dan? Gaat het goed met ze?'

Echt iets voor Kris om dit zo te vragen.

'Ja hoor,' lacht mama, 'daarmee is alles oké.'

'Heb je dat meteen gehoord?', vraagt opa gespannen.

Mama knikt opgetogen. Oma springt van de bank en

kust mama op haar wangen. 'Kind, wat een opluchting.' Dan kijkt oma naar Kris en mij. 'Hartstikke goed dat de botten niet ziek zijn.'
Ze kijkt mama weer aan. 'En hoe zit het met de foto's? Weet je daar al iets van, het hoofd, de buik en de longen?'
'Ook goed', lacht papa. Oma aait papa over zijn wang, die zomaar ineens nat wordt.
'Het komt goed, jongen, let maar op', mompelt ze.

Ik kijk met grote ogen van de één naar de ander. Wat gebeurt hier allemaal? Heb ik iets gemist? Wat is eigenlijk goed? Als het niet goed was, wat dan? Zouden ze bang zijn, omdat ze het ook niet weten? Dat moet ik vragen.
'Mama...', zeg ik aarzelend, maar papa tilt me op en danst een rondje met me door de kamer. Ik giechel en duw de enge gedachten van me af.
'De rest is oké en daar zijn we verschrikkelijk blij mee', lacht opa. Of hij mijn gedachten kan lezen.
Als papa me weer op de grond zet, rent Kris op me af met in zijn hand één van zijn autootjes.
'Kijk eens Mara. Kapot.'
Hij wijst met een pruillipje op de achterkant van de Ford waarvan een lichtje is afgebroken. Er schiet me iets te binnen. 'Jij bent bijna jarig hè?'
Kris springt blij op en neer.
'Zou jij van mij een nieuwe auto willen?'
Hij springt mogelijk nog hoger en roept: 'Mama! Ik

krijg van Mara een nieuwe auto!'

Opa en oma geven mama nog een kus op haar wang en dan klinkt het beledigde stemmetje van Kris: 'Mama, jij bent zondag toch niet jarig? Maar ikke wel!'

'Hieperdepiep hoera', roept opa. Papa tilt Kris op.

'Luister Kris, je bent al bijna vijf. Maar we maken er dit jaar een klein feestje van, want mama moet rustig aan doen. Volgend jaar doen we het weer groot, hè.'

Dat snapt Kris niet. Hij wil bijna brullen, maar papa geeft hem snel een dikke knuffel. Als hij mij vreemd ziet kijken, glimlacht hij naar me.

'We houden heel veel van jullie, Mara en Kris. Nooit vergeten.'

Ik zet nu dubbel zo grote ogen op. Papa klinkt eng.

Ridder Kris

Eindelijk is Kris jarig. Ik hoor hem haastig mijn deur voorbijlopen als ik suffig mijn hoofd boven het dekbed uitsteek. Ik heb zelfs geslapen met pet op. De plukken zijn nog steeds groenig, niemand mag ze zien.

Als ik mijn cadeautje voor Kris uit de kast heb gehaald, loop ik naar de slaapkamer van papa en mama. Wat een bende. Kris springt wild midden op het bed, mama zie ik half onder het dekbed weggedoken en papa probeert Kris te vangen. Voorzichtig ga ik op het voeteneind zitten, stel je voor dat het bed instort. Maar dat gebeurt natuurlijk niet.

'Zingen! Zingen!', roept Kris en zo hard we kunnen zingen we: 'Er is er een jarig hoera, hoera. Lang zal hij leven.'

Papa slaat zijn arm om mama die rechtop is gaan zitten om te zingen. Ze heeft tranen in haar ogen, maar zingt ze hard weg. Stiekem zing ik: 'Lang zal ze leven.'

Trots overhandig ik Kris zijn cadeau in mijn zelfgemaakte pakpapier.

'Gefeliciteerd met je vijfde verjaardag!'

Hij pakt zijn cadeau blij uit: een nieuwe auto met extra grote lampen.

'Kijk eens, papa en mama!'
Ze klappen in hun handen.

Ik zie best dat mama naar mijn pet gluurt, ze probeert
er vooral onder en naast te kijken. Zou ze iets door-
hebben? Als ze nu maar niet vraagt of iedereen met
zijn pet op slaapt. Gelukkig pakt papa nu hun cadeau
voor Kris vanonder het bed vandaan. Het is een groot
pak en ongeduldig scheurt Kris het papier eraf. Hij gilt:
'Een racebaan!'
Papa en mama worden uitgebreid gekust en geknuffeld
en ik krijg ook een klein knuffeltje.
'Mara, help je me met de baan opzetten?'
Ik spring van bed.

De kamer hangt vol slingers en ballonnen. Ik heb een
kroon voor Kris gemaakt en die zet ik op zijn hoofd. Als
een koning loopt hij door de kamer.
Ik begin vast met zijn racebaan opzetten, hij komt me
snel helpen al zit hij vooral in de weg. Maar ik probeer
er niets van te zeggen, want hij is natuurlijk wél jarig!
We racen met de auto's over de baan. Hij met zijn
nieuwe auto, ik met de auto met de kapotte lanp. Hij
vliegt natuurlijk uit de bocht, ik haal hem in en opeens
stopt Kris.
Hij staart me met grote ogen aan.
'Wat heb jij daar nou, Mara? Het lijkt wel of je licht
geeft!'
Ik voel aan mijn hoofd, mijn pet is afgegleden, vlug

duw ik de plukken haar eronder.
'Niks Kris. Je zag een stukje van de binnenkant. Van de voering.'
'O. Het lijkt wel of je ziek bent. Wat een rare kleur!'
'Gaan we weer verder met de racebaan, Kris?'
'Ja!'

's Middags komen opa, oma, twee ooms en een tante. Kris heeft geen partijtje. Waar blijven onze neefjes en nichtjes?
'Ik ben ziek en daarom is het te druk als er kinderen komen. Dan word ik veel te moe. Papa zei toch al dat we het feestje klein zouden houden?', legt mama me uit, als we in de keuken bezig zijn om kopjes met koffie en thee te vullen en taart te verdelen.
'Tettuuttettuut, ik ben een ziekenauto, moet je mee?', schreeuwt Kris als hij een rondje door de keuken scheurt. Mama antwoordt niet. We lopen de kamer in. Ik draag voorzichtig het dienblad met de schoteltjes gebak erop.

'Hier is je cadeau', tante Birgit tovert een knalrood pak uit haar tas. Kris rukt het papier eraf. Het zijn een plastic zwaard en een plastic harnas. Hij wil het natuurlijk meteen aan. 'Ik ben ridder Kris, ik ben ridder Kris!' Juichend loopt hij door de kamer. We klappen in onze handen. 'Hoera voor ridder Kris.'
Plotseling blijft Kris midden in de kamer stilstaan. Hij draait zich om naar mama en hij trekt zijn zwaard.

'Ik ben ridder Kris en ik vecht tegen het monster van mama!'
'Hoera voor ridder Kris', roept mama blij. Opa snuit zijn neus in zijn grote stoffen zakdoek.
'Ach, dat knulletje heeft alles door', fluistert tante Birgit.

'Nou Mara, kindje, draag je nu nog die pet! Zo slecht voor je haar', zegt oma, vast om snel over iets anders te beginnen. Mama doet een greep naar de pet, ik spring nog net op tijd opzij.
'Ach oma, de stof van petten van nu is veel beter dan die van vroeger.'
'Wijsneus', zegt tante Birgit. 'Zo was je moeder ook altijd.'
'Misschien wel', glimlacht mama.
Ze moest eens weten, denk ik in mezelf.

Ik probeer de gesprekken van de grote mensen te volgen.
'Wat gaan ze nu doen, Jorn?', vraagt tante Birgit aan papa. Zij is zijn oudere zus.
'Ze beginnen met de kuren', antwoordt papa en werpt een blik op mij.
Ik wil vragen wat voor een kuren, maar houd mijn mond.
'Dus jullie zijn al bij de specialist geweest? Als ik met Mariska mee moet dan hoef je het maar te zeggen, hè.'
Ik spits mijn oren en flap eruit: 'Gaat mama naar de schoonheidsspecialist?'

'Wat vertel je ze?', Birgit rolt met haar ogen van Kris naar mij. Papa buigt zuchtend het hoofd.

'Ik weet het nou toch al papa. Mama vertelt bijna alles. Over foto's maken, de botscan, een echo, haar zieke borst. Maar niet over de schoonheidsspecialist, ehm raar. Weet je tante Birgit, ik heb een meisje in mijn klas en die mag alles. Misschien gaat ze zelfs wel naar de schoonheidsspecialist, want ze heeft altijd nagellak op. En...'

'Mara! Houd op over Joy.'

Mama zet een schaal met chocolaatjes op tafel, Kris grist er meteen twee uit. Niemand ziet het.

Tante Birgit aait me over mijn pet, ik houd mijn adem verschrikt in.

'Fijn te horen dat het zo goed met jou gaat, Mara. Ik bedoelde alleen geen schoonheidsspecialist. Een specialist is iemand die heel veel weet van één ding. Het is een dokter die alles weet van een ziekte. Een dokter bedoelde ik dus. Een dokter die mama beter kan maken. Een dokter die iets tegen de borstkanker doet.'

Papa schraapt zijn keel.

Het woord gonst door mijn hoofd, door de hele kamer. Borstkanker, kanker. Dat is toch echt heel erg. Dat had mama nog niet verteld.

Ik kijk op. Mama staat roerloos midden in de kamer met een leeg kopje in haar hand.

'Waarom heb je niet meteen gezegd dat je kanker hebt, mama?'

Ze bijt nu op haar lip. Tante Birgit zegt: 'O jee, ik dacht

dat je alles had verteld.'

Mama knikt. 'Ik was er zelf nog niet helemaal aan toe.'
Ze zucht. 'Ik heb wel uitgelegd hoe alles gaat, maar ik
had de naam nog niet genoemd. Het is goed dat jij het
doet Git.'

Ik snap er niets van en voel me stom. Niemand zegt
iets.

Gelukkig komen opa en oma net samen met mijn
ooms de garage uit. Ze hebben naar papa's kunst
gekeken, zeggen ze. Maar ik zie die rode oogjes wel.
Die van mij prikken ook. Mama is ziek. Dat wist ik wel
natuurlijk, maar niet dat papa bang is. Maar omdat Kris
jarig is, praat niemand er verder meer over. We eten en
doen net of er niets aan de hand is.

's Nachts kan ik slecht in slaap komen. Op de één of
andere manier blijf ik aan het woordje 'jou' denken.

'Fijn te horen dat het zo goed met jou gaat, Mara...'
Waarom is tante daar zo blij mee? Ik moet het
uitzoeken. Wat er gebeurt als je kanker krijgt, wat er
met mama aan de hand is. Met haar zieke borst. Wat
voelt ze eigenlijk?

Ik heb nog geen borsten, ik ben helemaal plat. Als ik
borsten krijg, wil ik hele mooie bh's. Een roze met rode
stippen en rode bandjes en een bijpassende onder-
broek. Of een groene met blauwe roosjes, of...

Kris komt met zijn nieuwe auto mijn kamer
inscheuren. Het is ochtend, we moeten weer naar
school.

Mislukte clown

Jammer genoeg is het hele gedoe met het briefje van Joy geen nare droom geweest. Ik wil thuisblijven, bij mama en dan alles aan haar vragen. Of de dokters wel goed hebben gekeken. Waarom ze er niet ziek uitziet en wat ze dan voelt. Ik wil Joy niet zien en Jenny wil mij niet zien. Steven zal me wel een suffe miep vinden. 'Hup Mara, schiet eens op. Je komt veel te laat! Jenny is vast al weg.' Mama staat bij de deur met mijn jas in haar hand. Ik trek hem aan en geef mama een hele dikke knuffel.
'Mag ik niet bij jou blijven vandaag?'
Ze tikt zachtjes op de klep van mijn pet. 'Kom Mara, weet je wat, zullen Kris en ik met je meefietsen? Kris, opschieten, we gaan.'
Mama zet Kris achterop haar fiets in zijn zitje. In zijn hand heeft hij zijn autootje geklemd. Bij de poort stoppen we. 'Kop op Mara, denk er maar niet aan vandaag. Maak er een fijne dag van.'
Kris zwaait zo hard dat mama haar fiets stevig moet vasthouden. 'Dag, tot vanmiddag.'

Ik loop met mijn fiets aan de hand zo snel mogelijk

naar de fietsenstalling voor de bovenbouw. Mama
brengt Kris naar het bijgebouw waar de kleuters zitten,
ik zwaai naar ze.
Arie stuift voorbij. Een meester bij de ingang klapt in
zijn handen. 'Meneer afstappen! Op het schoolplein
wordt niet gefietst!' Arie doet of hij de meester niet
hoort en scheurt het fietsenhok in. Hij slipt en stopt
op een haar na voor Angela en Ina. Ina gilt en Angela
haalt uit om Arie een klap te verkopen. Arie bukt vlug
en grijnst. 'De volgende keer...', briest ze.
Vlug zet ik mijn fiets in het rek en vanuit mijn ooghoek
zie ik dat Arie weg wil glippen, maar Angela houdt
hem tegen. Angela is voor niemand bang, ze is heel
stoer met haar zwarte stekels, te grote broek en veel te
wijde jas. Joy zegt dat Angela op een jongen lijkt, maar
dat zegt ze nooit tegen Angela. Zelfs Joy is een beetje
bang voor Angela. 'Laat hem maar', zegt Ina en ze trekt
Angela mee het fietsenhok uit. Ik schiet achter ze aan
en hoop dat niemand me ziet.

'Goedemorgen, in school worden geen petten gedra-
gen', zegt de meester bij de deur als ik naar binnen ga.
Ik schrik. Dat ik daar nu weer niet aan heb gedacht!
Snel loop ik verder, misschien dat juf er niets van zegt.
Maar zover kom ik niet.
Opeens krijg ik een duw in mijn rug en voordat ik iets
kan doen, grist Arie de pet van mijn hoofd.
'Luister je niet meer naar de meester, Mara', gilt hij.
Iedereen in de gang stopt en kijkt van Arie, naar de pet

in zijn hand, naar mijn hoofd. Hij gooit de pet in de lucht en vangt hem weer op. Maar daar kijkt niemand naar.

Iedereen staart nu naar mijn haar alsof de groenoranje plukken lichtgevend zijn. De hoge, irritante lach van Joy klatert door de gang. Meteen beginnen er nog meer kinderen te giechelen en te schateren. Ik ben een mislukte clown.

Alleen Jenny lacht niet. Zonder een woord te zeggen, pakt ze me bij mijn arm en trekt me mee naar de klas. Er is nog niemand, zelfs juf is er niet.

Ik kijk verbaasd hoe Jenny het sjaaltje dat ze om heeft afdoet en aan mij geeft. 'Hier, doe dit maar in je haar. Dan valt het minder op.'

'Ja maar Jen. Je bent toch kwaad op me?'

'Op Joy heel erg en op jou een beetje. Maar ik ken je toch?'

Ik word helemaal bibberig.

Net op tijd zit mijn sjaaltje over mijn haar als juf de klas binnenkomt. 'Zo, jullie zijn vroeg, alles weer goed? Gelukkig maar.' Ze kan niet verder vragen want alle kinderen buitelen lachend en stoeiend de klas binnen. 'Rustig maar en ga allemaal zitten', zegt juf opgewekt. Ze merkt niet dat de kinderen smiespelen en naar mij kijken en wijzen. Snel fluistert Jenny in mijn oor: 'Ik ga straks mee naar jullie en dan vinden we wel wat op die verschrikkelijke plukken. Wat heb je ermee gedaan?'

'Chloor, ik dacht: dan wordt het wit, maar het is groen.

Maar kan ik met jou mee? Mama weet het niet.'
'Dames, letten jullie ook op?' Juf kijkt ons streng aan.
'Heb je die haren al gezien juf', roept Arie. De hele klas
schiet weer in de lach.
'Ja Arie, het is leuk geweest. Begin maar met lezen.'
Arie begint hakkelend te lezen.

In de pauze staan Jenny en ik samen voor de spiegel bij
de wc's. Ik heb haar sjaaltje in mijn hand. 'Dat je dat
durfde! Weet je moeder nog van niks? Die heeft wel wat
anders aan d'r kop natuurlijk.'
Ik word rood. 'Ja, ze heeft...'
Op dat moment zwiept de deur open en komt Joy
binnen. Achter haar staat Marit. Ze heeft mijn pet op
haar hoofd.
'Ha toverbal!'
'Geef mijn pet terug.'
'Volgens Joy staat die mij veel beter', zegt Marit en ze
draait een rondje.
'Geef terug', krijs ik.
'Zal ik je mammie bellen? Kan ze je komen ophalen.
We zagen haar heus wel hoor vanochtend', jent Marit.
'Misschien kan ik beter bellen', zegt Joy nu. Ik kijk haar
verbaasd aan en voordat ik antwoord kan geven, zegt
Jenny: 'Heel aardig, maar Mara heeft jullie hulp niet
nodig hoor.'
Joy lacht schril. 'Het lijkt wel of jij haar moeder bent.
Trouwens, het is echt beter als ik aan je ouders uitleg
hoe het ervoor staat, toverbal. Ik moet natuurlijk wel

aan mijn modellenopdracht denken.'

Met open mond staar ik Joy aan. Ze kijkt onbewogen terug.

'Wat ben jij een slang... om daarmee te dreigen! Jij zegt helemaal niets.' Jenny duwt me mee naar buiten en laat Joy en Marit achter bij de wc's. Snel doe ik het sjaaltje weer om mijn hoofd. Er piepen plukken haar onderuit, maar dat kan me niet schelen.

's Middags ga ik met Jenny mee naar haar huis, we pakken wat te drinken uit de koelkast en ploffen op de bank neer. Mickey is er nog niet en hun moeder is aan het werk. Ik ben stiekem wel blij dat Mickey er niet is.

'Is je zus nog boos op me?'

'Denk ik wel. Ze vindt je een meeloper. Weet je wat ze zei? Dat je je niet zo moet laten meeslepen! Ze klonk net als mijn moeder. Ik vind het een beetje overdreven.'

Ik zucht. 'Jenny, ik ben blij dat je al elf jaar bent.'

Jenny glimlacht, maar of ze snapt wat ik bedoel, weet ik niet zeker.

'Bel even naar huis.'

'O ja, goed idee.'

'Ha Mara', klinkt mama's verbaasde stem. 'Weet je wie hier op jou wacht? Joy. Met een nogal merkwaardig verhaal. Ze vraagt wanneer de modellenopdracht is, want ze heeft een drukke agenda zegt ze. Ook vertelde ze iets over groen... wat zeg je Mara?'

Ik sis naar Jenny, sssssss, als een slang.

Jenny rolt met haar ogen.

'Mara? Waar ben je allemaal mee bezig?'

'Ik had allang aan papa verteld dat Joy model wil worden. Ik kan er niets aan doen. Zeg maar dat ze niet op me hoeft te wachten. Ik ben bij Jenny. Mama, mag ik hier blijven spelen?'

'Natuurlijk, maar ik verwacht wel een goede uitleg voor je gedrag jongedame.'

'Jaha.'

Ik leg de telefoon zo hard op het tafeltje dat de overvolle asbak ervan trilt. De moeder van Jenny rookt. Sinds haar vader naar Friesland is verhuisd twee jaar geleden, is haar moeder gaan roken. Jenny baalt ervan.

'En nu mee naar boven!' Jenny duwt me de trap op. In de badkamer zoeken we naar shampoo en de haarverf van Jenny's moeder.

'Hier, houdt kleur langer vast. Zou dat iets zijn, of blijft je haar dan juist groen?' Jenny giechelt. 'Als een marsmannetje.'

Opeens horen we Mickey achter ons. 'Wat heb jíj nou gedaan?' Ze wijst vol afgrijzen naar mijn pieken en lijkt in een klap haar boosheid vergeten. Ze duwt Jenny opzij, zoekt tussen alle flessen en watten en zegt dan: 'Hier, deze hebben we nodig. Kleurt, versterkt en verstevigt. Kom, ik help jullie, anders wordt het helemaal een kliederzooi.'

Als makke lammetjes laten we Mickey haar gang gaan. Als ik later met een handdoek om mijn hoofd gewikkeld op de badkamerkruk zit, kijkt Mickey me hoofdschuddend aan.

'Laat me raden. Joy weer zeker. Wat een rotkind, ze jaagt iedereen de gordijnen in. Trek je toch niets van haar aan, Mara! Dat klierige groepje dacht zelfs mij van het ijs te jagen. Ze zijn alleen maar stoer als ze met elkaar zijn.'

Ik denk even aan Arie in het fietsenhok, wat was hij bang voor Angela. Maar ja, ik zit mooi opgescheept met Joy, die nu bij ons thuis op de bank wacht op een opdracht. Ik flap het eruit: 'Maar jullie vader heeft geen modellen nodig voor reclames.'

'Pff, nou Jenny, zijn wij ook eens voor een keer blij dat papa zo ver weg woont!'

Ik krijg een kleur. 'Dat bedoel ik niet Mickey. Joy denkt dat ze beroemd kan worden door mijn vader.'

'O, heeft ze dat bedacht. Nou, eerst maar eens kijken hoe je eruit ziet.'

Mickey wikkelt de handdoek van mijn hoofd en met z'n drieën kijken we in de spiegel. Ik heb nu lichtbruin haar, lichter dan het was en donkerder dan blond. Ik heb nu dezelfde kleur haar als de moeder van Mickey en Jenny. 'Kastanje, het staat je beeldig.' Jenny laat me een rondje draaien in de badkamer.

Om vijf uur zet ik mijn fiets netjes in de berging en kom door de tussendeur de kamer binnen. Joy springt op van de bank. Ze bekijkt me goed en trekt dan haar neus op. Ze vindt het vast jammer dat mijn haar zo mooi is nu, maar ze durft er niets van te zeggen.

'Ik ga maar eens. Dankuwel voor de thee, mevrouw
Castellee en de groeten aan uw man. Tot morgen hè
Mara. Doei Kris.' En weg is ze.
'Wat gek.' Mama zet de theekopjes op het aanrecht. Ze
trekt een diepe denkrimpel in haar vermoeide gezicht.
'Eerst wil ze met alle geweld op jou wachten en als jij er
dan eindelijk bent, gaat ze meteen weg. Raar kind.'
'Ja. Beslist!'
'Ze is niet raar, ze ging met mij spelen', zegt Kris.
'Spelen? Ging Joy met jou spelen?' Ik gaap hem verbijs-
terd aan. Joy, die altijd zegt dat kleine broertjes stom
zijn en dat zij nooit wat hoeft en dat haar ouders lekker
nooit thuis zijn. Deze Joy heeft dus met mijn moeder
thee gedronken en gespeeld met mijn broertje. Ik snap
er niets meer van.
'Ja Mara, volgens mij vond ze het best gezellig hier.
Maar, had jij je pet niet op?'
'Ach, nou ja, die krijg ik wel weer terug...'
'Je bent hem toch niet kwijt? Wat heb jij met je haar
gedaan?'
Oei. Ik schrik. Mama is het natuurlijk niet vergeten.
Misschien moet ik het eerlijk vertellen. 'Nou eh, het zit
zo, weet je, nou ja...' En net als ik alle moed heb verza-
meld, komt papa de kamer binnen.
'Ha, Mara gaat ons net over het haaravontuur vertellen!'
Dan vertel ik alles, van het briefje, het schaatsen,
Steven, Joy en Jenny en mijn groene toverballen mars-
mannetjes haar. 'Ik leek wel een clown', besluit ik.
'Waar is een clown?' Kris springt door de kamer.

Zwaar geschut

'Mara', begint mama, 'met je haar moet je voorzichtig zijn. Ik ga je nu iets vertellen over mijn haren.' Ze gebaart naar papa. Hij tilt Kris op. 'Kom mannetje, wij gaan even in het atelier met de racebaan spelen en daarna gaan we eten.'

'Vroem, vroem', racen ze de kamer uit.

Ik zit met mama op de bank.

'Als je ziek bent, voel je je vaak niet zo lekker. Dan ga je in bed liggen, je slaapt wat en wordt weer beter. Maar zo is dat niet altijd. Soms ben je zo ziek dat je naar de dokter moet, dan krijg je pillen of drankjes die je weer beter maken.'

Dat weet ik toch allemaal, wat wil mama nou zeggen?

'Als de ziekte echt heel vervelend is, moet je er streng tegen optreden. Kijk, je hebt je lichaam en opeens zit er in je lijf een vijand. Die vijand moet bestreden worden, die moet je lijf uit. Zo is het bij mij ook. Een lichaam bestaat uit vlees, botten, bloed, spieren, water en nog een heleboel meer. Een lichaam is opgebouwd uit cellen. Uit allemaal hele kleine dingetjes. Soms groeit er iets verkeerd en zo is het in mijn borst ook gegaan. Er is een cel gegroeid die er niet hoort. Een ding, een knobbeltje, de vijand, kanker.'

Ze kijkt me even aan om te kijken of ik het nog snap.

Ik knik. 'Maar is daar dan geen pilletje tegen?'

'Dat is het nou juist. Soms snijden ze zo'n boos ding weg, maar niet altijd. Soms geven ze je pillen, of drankjes, of middeltjes door een slangetje. Dat gaat de dokter in het ziekenhuis bij mij ook doen. Maar omdat de vijand heel sterk is, moeten ze zware wapens inzetten.'

'Echt, net zoals in een oorlog?'

'Ja, net als in een oorlog. Dan gooien ze bommen en schieten ze naar elkaar. Dat gaan ze in mijn lijf ook doen. Met een middeltje dat mij beter moet maken. Ze gaan de vijand doodmaken.'

Ik ril. Het klinkt zo naar. En wat heeft dat nu met mijn haar te maken?

'Ja, Mara, het is zo'n sterk middel, dat het ding in mijn borst er waarschijnlijk niet tegen kan en vlucht. Maar er kan nog veel meer niet tegen het zware geschut. Ik word er misselijk van. En, nu moet je niet schrikken, ik verlies mijn haar.'

Ik schrik natuurlijk wel en gaap haar aan. 'Je haar? Wat heeft je haar er nu mee te maken?'

'Het is een beetje lastig, maar je haren verliezen is een vervelende bijwerking. Dat betekent: ze vallen uit omdat ze niet tegen het medicijn kunnen. Niet omdat het nodig is, maar omdat de dokters dat niet kunnen tegenhouden.'

'Wat een stomme dokters dan.'

'Ja, het is wel jammer. Maar ze groeien ook weer aan.
Ach, liever kaal dan zo'n ziek ding in mijn lijf. Alleen,
daarom vind ik het niet leuk als jij nu met je haar
knoeit, snap je?'
Ze woelt met haar hand door mijn kastanjebruine haar.
Ik knik. 'Hoe heet dat dan? Ik weet nu dat je borstkanker hebt en hoe heet dat spul waardoor je haren
uitvallen?'
'Dat heet chemotherapie. Therapie is zoiets als genees-
middel en chemo is chemisch. Kunstmatig, nep. Maar
zo nep is het niet. Het is heel echt en help je me mee
vechten?'
'Ja!' Ik spring in de houding en marcheer als een
soldaat door de kamer. Mama lacht en marcheert achter
me aan. Dan komen papa en Kris de kamer weer in en
met zijn vieren maken we een marswandeling langs de
bank en de boekenkast, om de eettafel heen, door de
keuken waar het eten op het fornuis staat te pruttelen.
'Kom, aan tafel. Het eten verpietert.'

Aan tafel vertelt papa dat Joy die middag bij hem langs
is geweest in het atelier. 'Opeens stond ze voor mijn
neus.'
Ik zit op het puntje van mijn stoel. 'Ik heb haar gezegd
dat ik geen modellenbureau heb.'
Oei, denk ik, daar is Joy niet blij mee en dat zal ik
morgen wel weer te horen krijgen.
'Niet zo moeilijk kijken Mara, ik heb het heus wel
goed opgelost. Joy is natuurlijk een mooi meisje,

dus misschien maakt ze echt kans. Ik heb haar het webadres en telefoonnummer gegeven van een bureau dat speciaal voor kindermodellen is. Weet je nog dat ik een voetbalteam nodig had? Die jongens kwamen ook van dat bureau. Ik heb tegen Joy gezegd dat ik niet nog meer voor haar kan doen.'

'Nou, daar mag ze al blij mee zijn', bemoeit mama zich ermee. 'Bovendien, geven haar ouders wel toestemming?'

'Maham,' zucht ik, 'Joy mag toch alles, dat heb ik al zo vaak gezegd.'

'Komt Joy weer spelen?', vraagt Kris opeens.

'Ik denk het niet', mompel ik.

'Zal ik je na het eten de mappen laten zien die ik ook aan Joy heb laten zien?'

'O ja, papa, al je nieuwe werk!'

Ik blader door de mappen met schetsen, ideeën en foto's. Papa is een reclame voor bikini's aan het bedenken, midden in de winter! Over een paar weken beginnen de opnames, papa laat speciaal een strandtent bouwen. 'Tropicana Beachclub klinkt wel goed toch Mara.'

'Moeten de modellen dan in zwemkleding, de lente is nog niet eens begonnen!'

'Ja, het is echt hard werken hoor. Maar Joy heeft gezegd dat ze er zelfs aan mee zou doen als het tien graden onder nul is.'

'Nou, ik ben benieuwd', lach ik. Papa ruimt de spullen

op, alles in het juiste vakje. Hij heeft een grote kast met allemaal vakjes en lades en hij weet precies waar alles ligt. Knap vind ik dat. Papa zegt dat hij er geen zin in heeft om altijd alles kwijt te zijn. 'Op jouw kamer is het toch ook netjes.' Dat is waar, ik glim van trots.

'Papa, ben jij bang?', flap ik er opeens uit. Ik weet niet waar de vraag opeens vandaan komt. Misschien wel omdat we nu pas echt met zijn tweeën zijn. Papa staat stil, maar aan de papieren in zijn hand zie ik dat hij trilt. Hij leunt tegen zijn tekenbureau en kijkt bedacht-zaam voor zich uit. Als hij drie keer heel diep adem heeft gehaald zegt hij: 'Ja Mara, ik ben bang.

Maar ik wil niet dat mama dit weet, ik wil niet dat jij en Kris dat weten, ik wil niet dat opa en oma het weten. Over mij hoeven jullie je geen zorgen te maken.' Ik snap niet zo goed wat papa bedoelt. Had ik nou maar mijn mond gehouden, ik kan van spijt wel het puntje van mijn tong afbijten. 'Sorry pap...'

'Nee Mara, dat hoeft niet. Het is toch logisch dat je het vraagt, jij zal ook wel bang zijn.'

Ik haal mijn schouders op. Ik weet het niet zo goed, is kanker dan zo erg?

'Je ziet het nog niet, maar mama is echt ziek. Ze is moe, voelt zich niet lekker en ondertussen woekert het maar voort.' Papa klinkt boos. 'Sorry Mara, ik vind het moeilijk, we weten niet waar we aan toe zijn. De dokters moeten alles proberen om haar beter te maken.'

'Ja, ze gaan zelfs mama's haren uit haar hoofd trekken!'

Papa lacht zuinig. 'Het zijn nare medicijnen waardoor ze haren verliest. Opa wordt kaal omdat hij een oude man is, dat is normaal. Maar bij mama is het van het ziek zijn.'

'Mama zegt dat de haren weer aangroeien.'

'Als alles goed gaat wel', zucht papa.

Hè, wat bedoelt hij nu weer?

'Mara, we moeten heel dapper zijn. Jij, Kris en ik samen. Wij drieën gaan ervoor zorgen dat mama zich niet zieker hoeft te voelen dan ze is.'

Ik snap papa nog steeds niet helemaal, maar ik bedenk wel iets. 'Zal ik morgen een hele mooie ketting voor haar maken?'

'Ja, dat is een superidee!'

Geen nieuwe moeder

Sinds ik met papa heb gepraat, lijkt alles anders te zijn
geworden. Opeens vallen me dingen op die ik eerder
niet zag. Ik wist wel dat mama moe is en zich niet
lekker voelt, maar nu zie ik dat ze alles langzamer doet.
Ik zie dat papa bezorgd naar haar kijkt. Kris merkt er
volgens mij niets van. Soms zou ik ook wel klein willen
zijn. Nu ben ik niet groot genoeg om alles te horen en
te begrijpen, maar te groot om het niet door te hebben.
Als papa bang is, dan is er echt iets aan de hand.
Na school fiets ik meteen naar huis. Ik ruim mijn
kamer netjes op en zelfs het speelgoed van Kris leg
ik soms aan de kant. Voor mama heb ik een ketting
geregen van blauwe glazen kralen om een lichtblauw
fluwelen bandje. Ze zegt dat ze de ketting nooit meer
afdoet. Het is haar wonderketting.

Vooral aan tafel is het anders. Mama eet niet veel meer
terwijl ze nog net zo lekker kookt. Vandaag eten we
spinazie met een eitje. Kris wil alleen ei, maar hij moet
ook wat happen groente. Ik vind spinazie lekker en
papa zo te zien ook. Maar mama roert wat door haar
eten en neemt soms een klein hapje. Opeens legt ze

haar vork neer en schuift haar bord van zich af. Je ziet haast niet dat er van gegeten is.

'Heb je nog steeds geen honger?', vraag ik. Mama schudt haar hoofd.

'Ga maar rusten', zegt papa terwijl hij haar bord en bestek wegbrengt naar de keuken. Kris slaat met zijn vork op de spinazie. Het spat nog net niet in het rond.

'Kris, eten is niet om mee te spelen. Gewoon opeten nu.'

'Mama vindt het ook vies', zeurt Kris. Maar hij heeft wel een beetje gelijk. Ik snap het ook niet. 'Ja pap, mama hoeft ook haar bord niet leeg te eten.'

Papa staart me aan. 'Dat is anders.'

'Waarom dan? Van spinazie word je sterk. Dus ze moet het opeten. Zij nam maar twee happen, terwijl Kris...'

'Die moet er nog van groeien en mama is geen kind meer. Bovendien is mama ziek.'

'Maar ik...'

'Geen gemaar. Bij mama is het anders.'

Met een chagrijnig gezicht duw ik mijn bord ook opzij. Ja hoor, bij mama is het anders! Wat is dat nou voor een antwoord. 'Ik wil een echt antwoord papa, niet zo'n half antwoord. Papa...'

Er rollen twee dikke tranen langs papa's wangen. Hij wrijft er snel overheen, maar Kris heeft ze ook al gezien.

'Heb je pijn? Ben jij ook ziek, papa?'

'Nee', mompelt papa en brengt de halflege borden naar

de keuken. Als hij terugkomt, zegt hij: 'Is het nog geen bedtijd?'

'Nee,' roepen Kris en ik in koor. 'We eten altijd nog een toetje. Hoe kun je het toetje nou vergeten, dommie?'

'O ja. Pak jij de bakjes en de yoghurt?'

Hij krabt zich op het hoofd. Gekke papa. Hij zet zelfs de televisie aan en dat mag nooit tijdens het eten van mama. We vallen midden in een reclame voor mensen die van het roken af willen. Het is geen reclame die papa heeft gemaakt. Het is iets met kauwgom en pleisters die je van de sigaretten afhelpen. Die moet Jenny maar eens aan haar moeder geven. Ze hebben het op televisie over een mooi begin van een nieuw jaar.

'Papa,' begin ik als hij bezig is de vaatwasser in te ruimen, 'heb jij eigenlijk goede voornemens?'

Hij laat de stapel borden op het aanrecht staan en kijkt mij onderzoekend aan.

'Weet jij dan wat ze daarmee bedoelen?'

Wat denkt hij wel, ik ben geen baby. 'Volgens mij betekent het dat je iets wil afleren, dat je van iets af wil omdat het slecht voor je is. Bijvoorbeeld te veel snoepen of roken. Of dat je iets beter wilt gaan doen. Bijvoorbeeld helpen met de tafel afruimen!'

'Dat is een goed voornemen! Weet je wat ik het liefste wil, Mara. Ja, ik zou alles opgeven als het betekent dat mama beter wordt', zucht papa.

'Papa', piep ik met een klein stemmetje. 'Papa, als mama niet meer beter wordt, gaat ze dan dood?'

'Laten we daar maar niet vanuit gaan. Laten we ons voornemen dat we erop vertrouwen dat mama beter wordt.'

Dat is weer zo'n lastige papa-uitspraak. Maar ik weet genoeg en Kris ook. Opeens horen we hem achter ons: 'En als mama nooit meer beter wordt, dan kopen we een nieuwe mama.'

Het bestek klettert uit papa's handen op de grond. Meteen kruipt hij over de grond om de lepeltjes, de vorken en de messen weer bij elkaar te graaien. Hij snuft en blijft even op de grond zitten. Hij knippert met zijn ogen, staat dan op en gaat zonder een woord te zeggen verder met het inruimen van de vaatwasser. Ik loods Kris de keuken uit. Het liefst zou ik hem een klap verkopen. Waarom zegt hij dat nou? Een nieuwe mama kopen. Alsof moeders ergens tussen de aardappelen en blikken doperwten in het schap liggen. Of in de etalage van de kledingwinkel staan. Alles kun je kopen of huren, zoals een oppas, of Jackie de au pair van Joy, of iemand die je huis schoonmaakt. Maar een nieuwe mama, zomaar even voor een paar uur of voor altijd. Nee, nieuwe mama's zijn niet te koop. Mama ben je. Of niet.

De vader van Jenny is weggegaan omdat hij haar moeder niet meer leuk vond. Hij had opeens een nieuwe vrouw. Zou papa ook verliefd kunnen worden op een andere vrouw? Als mama dood is? Wordt zij

dan onze moeder? Ik durf het niet te vragen. Niet aan
mama die boven op bed ligt, niet aan papa die naar de
televisie staart en ons lijkt vergeten.
Zijn gezicht ziet er zielig uit, de lijntjes rond zijn ogen
en mond maken hem verdrietig. Ik ga naast hem op de
bank zitten.
'We hoeven geen nieuwe mama hoor', zeg ik zachtjes.
Hij kijkt me geschrokken aan en wordt heel bleek. Ik
merk heus wel dat hij niet weet wat hij moet zeggen.
Betekent dat? Eigenlijk weet ik niet wat het betekent
om dood te zijn. Dood ga je als je oud bent, of ziek, of
een ongeluk krijgt. Mama is ziek. Ze zal toch wel weer
beter worden?
'Papa, de dokters doen toch echt alles om mama beter
te maken?' Nu knikt papa wel. 'Ja, ze doen er alles aan
en wij ook hè Mara.'
Hij staat op van de bank. 'Kom Kris, tijd om te gaan
slapen, kies maar een boek uit dat ik kan voorlezen.'

Nooit meer winkelen met mama, nooit meer... er rollen
dikke tranen langs mijn wangen als mama binnenkomt. 'Ach kindje toch. Kijk, ik heb even geslapen en
nu gaat het weer.'
'Mama, ga je dood?'
'Mara, alle mensen, alle dieren en alle planten gaan op
een dag dood. Maar ook al ben ik ziek, ik ben toch echt
van plan om voorlopig te blijven leven.'
Ik vraag niet hoelang, ik kruip bij haar op schoot alsof
ik een klein meisje ben en mama strijkt door mijn

haren. Ik hoop dat alles snel weer gewoon is. Met een vrolijke vader en een moeder die om zijn grapjes lacht.

Dollie in het ziekenhuis

In de gang staan drie tassen. Eén van mama, één van
Kris en één van mij. We hebben pyjama's ingepakt en
toilettassen met zeep, tandpasta en een tandenborstel
erin. In mijn weekendtas zit een etui met doosjes kraaltjes en draad, Kris heeft zijn autootje ingepakt. In de tas
van mama zit Dollie, de knuffeldolfijn van Kris. Dollie
mag van Kris met mama mee naar het ziekenhuis. 'Dat
vind ik echt fijn, lief jongetje van me', zei mama.
De dokters willen twee dagen en twee nachten kijken
hoe het met mama gaat. 'Ze gaan haar borst in de gaten
houden', legt papa uit. 'De dokter gaat me beter maken
met de chemokuur zoals ik heb verteld', zegt mama.
'Misschien kan mama niet goed tegen die chemokuur,
dus dat ze juist zieker wordt en dan krijgt ze meteen
een andere. Want er zijn er gelukkig een hoop waaruit
ze kunnen kiezen', vult papa haar aan.
'Nu maak je het te ingewikkeld', valt mama hem in de
rede. Maar nu wil ik natuurlijk alles precies weten.
'Het is net toveren wat de dokter doet.'
Papa pakt twee bekers. 'Kijk, hier zitten wat tover-

drankjes in. De ene mens wordt beter van het rode drankje, de ander van het gele. Of we mengen de drankjes en dan is het oranje goedje het best. Als je rood en geel mengt, krijg je oranje, dat weet je toch. Maar goed, sommige mensen worden misselijk van het rode drankje en dan krijgen ze een gele. Andere mensen krijgen juist bulten van het gele en die kunnen beter oranje krijgen. Dat zoeken ze precies uit in het ziekenhuis, van welke kuur mama beter wordt. Snap je?' Papa doet hard zijn best, dus knik ik overtuigend. Maar ik vind het lastig.

'Hokus pokus, ik wil ook toveren', roept Kris. 'Ik wil ook naar het toverhuis.'

'Dat kan niet, maar Dollie vertelt je vast hoe het was', zegt mama tegen Kris. Papa pakt mama's hand en geeft haar eerst een kus op haar wang en dan een op haar mond. Hij slaat zijn arm om haar heen en trekt haar tegen zich aan.

'Haha,' gilt Kris, 'jullie zijn verliefd! Verliefd! Verliefd!'

'Het klinkt of je het erg vindt,' lacht papa en hij geeft mama een zoveelste kusje.

'Erg!', brul ik. 'Het is gewoon stom. Hartstikke stom! Jullie zijn al oud!'

'Ja, heel oud en verliefd! En nu wil ik van jou ook een ziekenhuiszoen Mara!' Met tegenzin geef ik mama een zoen en ze fluistert in mijn oor: 'Wat ben jij toch al een grote meid. Ik ben trots op je.'

Ik snap er niets van, maar dat maakt niet uit als mama zulke aardige dingen zegt.

Kris en ik gaan één nachtje bij opa en oma logeren, papa brengt ons na schooltijd erheen. De tweede nacht blijven we bij papa thuis. 'Anders is hij zo alleen', zei oma en gelijk heeft ze.

Opa en oma wonen niet ver weg. Ze wonen in het huis waar mama vroeger is opgegroeid. Als papa het pad opdraait, staan opa en oma samen al in de deuropening te wachten.
'Daar zijn jullie dan, gezellig. Ik heb appeltaart gebakken, die lusten jullie vast wel!'
'Mmm, ik wil een heel groot stuk', roept Kris meteen.
Papa eet ook een stuk voordat hij naar mama in het ziekenhuis gaat.

'Zullen we een tekening maken?' Oma heeft op tafel een heel groot vel papier neergelegd en allemaal kleurpotloden. Kris begint meteen te krassen en oma tekent op een hoekje een hondje. Ik begin aan een grote boom met een schommel aan een tak. Best grappig, een kunstwerk van ons vieren. Thuis zou ik meteen ruzie met Kris krijgen, want hij krast natuurlijk meteen door mijn boom.
'Teken eens echt iets Kris, dat kun je best. Teken maar een auto', zeg ik niet eens onaardig.
'Weet je opa', begin ik na een tijd voorzichtig. 'Weet je, ik snap er niets meer van. Eerst is mama moe, dan ziek, dan gaat het wel en dan is ze weer ziek. Ze moet steeds rusten en ze eet niet meer dan een paar happen.

Hoe kun je nou moe zijn na het eten van twee muizen-hapjes? Ze heeft geen buikpijn, ze is niet verkouden. Ze ziet er alleen moe uit. Het lijkt wel een nepziekte.'

Opa knikt bedachtzaam. 'Ze kan er niets aan doen, Mara. Het is inderdaad een rare, nare ziekte. Maar vooral geen nep! Ze voelt zich elke dag anders. Soms goed, dan weer slecht. Het kan per uur schelen.'

Ik teken een appel in de boom. Kris schiet uit, hij gooit zijn potlood op de grond. 'Ik heb geen zin meer.'

Mama zou zeggen: 'Dan maak je maar zin.' Maar mama ligt in een ziekenhuisbed en wij maken voor haar een tekening. Ik heb zin om te huilen, maar dat vind ik zielig voor opa en oma.

Opa zegt tegen Kris: 'Kom, we gaan op straat voet-ballen.' Hij schuift zijn stoel naar achteren.

Kris kijkt naar buiten: 'Maar opa, het regent.'

'Ja Kris en daarvan word je nat. Dat geeft toch niet? Of ben je van suikergoed.'

'Ik wil sleeën!'

'Dat gaat niet meer. Het is te warm voor de sneeuw. Alles is gesmolten, nu regent het om de plantjes te laten groeien. Het wordt lente.'

Kris denkt even na. 'Groeit mama ook van de lente? Wordt ze daar beter van?'

'Vast en zeker Kris!'

Ik teken snel een rij vrolijke rode tulpen en gele narcissen in een knalgroen grasveld.

We slapen samen in de oude kamer van mama, dat

vind ik grappig. Haar bureautje staat er nog en aan de muur hangt een oude kalender. Net of de tijd heeft stilgestaan. Ik stel me voor hoe mama hier als meisje haar huiswerk zat te maken.

's Avonds in bed zegt Kris: 'Mama ligt nu ook in bed, in een ziekenhuisbed. Maar met Dollie heeft ze het best gezellig. Toch Mara?'

'Ja Kris, vast wel.'

'En morgen is ze weer beter!'

'Ja Kris, vast wel.'

'Zou mama wel kunnen slapen? Dollie is bij haar. Ik mis Dollie niet hoor. Morgen is mama er weer hè?'

Opeens staat Kris naast mijn bed. In het schemerdonker kijkt hij me met zijn grote ogen aan.

'Kris, zou je niet terug...'

Maar ik snap hem wel. Ik til mijn dekbed op. 'Kom maar.'

Kris springt in mijn bed. 'Jij bent mijn superknuffel!'

Ik sla mijn arm om hem heen, nu zijn we niet meer alleen.

Opa brengt ons op de fiets naar school. Ik ben een beetje kriegelig. Twee dagen kan ik mijn moeder toch wel missen? Ik ben al bijna elf, over vijf maanden dan. Maar ik kan er niets aan doen. Mama blijft de hele dag ronddwalen in mijn gedachten. De dag duurt ook zo lang. Ik kijk steeds op de klok of ik al naar huis mag om het ziekenhuis te bellen.

Bij het eerste geluid van de zeurende zoemertoon

schiet ik overeind, grijp mijn tas en vlieg de gang op. Ik ruk mijn jas van de kapstok en trek hem al lopend aan. Struikelend over mijn rugzak kom ik eindelijk bij het fietsenhok. Ik pak mijn fiets en race weg.

'Wacht nou!' Hijgend fietst Jenny achter me aan. 'Jemig Mara, jij had toch zo'n hekel aan gym?'

'Heb ik ook,' roep ik haastig terug en ik ga op de trappers staan om harder te fietsen. Even is het stil en kun je alleen onze ademhaling horen.

'Ik mag vanmiddag naar mama bellen in het ziekenhuis. Ga je met mij mee naar huis? Dan weet je gelijk hoe het met haar gaat.'

'Hé sproetenkoppen, ik kan toch harder', gilt Arie naar ons. Hij racet ons voorbij.

We doen net of we hem niet horen en zien.

'Ziekenhuis? Is ze dan echt zo ziek?'

Lek prikken

Ik kijk Jenny stomverbaasd aan. Heb ik haar dan echt
zo weinig verteld? Dat ik bang ben, maar niet precies
weet waarvoor. Dat ik wil dat alles gewoon is. Dat ik
mama mis. De tranen rollen over mijn wangen, ik bijt
op mijn lip en fiets door.
'Mama...', hik ik. 'De borst wordt in de gaten gehouden,
zeggen ze.' Ik probeer een grapje te maken. 'Zouden ze
bang zijn dat hij wegloopt? Heb jij wel eens van wande-
lende borsten gehoord?'
Maar Jenny lacht niet. Ze kijkt me superbezorgd aan en
we fietsen inmiddels zo langzaam dat andere kinderen
ons inhalen. Angela komt bellend voorbij met haar
wipneusje in de lucht. Het lijkt wel of iedereen opeens
onze kant op moet. In mijn ooghoek zie ik Steven nog
net een bochtje maken. Met mijn mouw veeg ik mijn
wangen droog. Mijn fiets slingert.
Ik vertel Jenny over ons logeerpartijtje bij opa en oma.
Over alles wat papa vertelt en ik niet zo goed begrijp.
Over toverdrankjes. Jenny luistert.
'We moeten dit allemaal onderzoeken!'
Bij het tuinhekje stopt Jenny. 'Ik weet het best', zegt
ze peinzend. 'Ik weet best wat jouw moeder heeft.

Borstkanker. Mama en Mickey hebben me uitgelegd wat dat is. Ze zeggen dat onze buurvrouw het ook heeft gehad. De dokter heeft haar borst afgesneden, echt waar!'

'Mama gaat voor een toverdrankje, ze laat geen borst afhakken!'

'Weet je dat zeker?'

'Ja, anders had ze het heus wel gezegd. Ze krijgt een toverdrankje door een slangetje. Rood, oranje of geel. Als ze maar niet misselijk wordt of gekke bulten krijgt.'

'Onze buurvrouw kreeg geen bulten. O ja, dat zei mijn moeder ook nog. Iets over een plastic slang die dan in je hand gaat, dat heet een infuus. Die draad gaat met een naald je ader in. De dokter giet het toverdrankje dus in die ader. Best handig, hoef je geen pillen te slikken. Het gaat veel sneller eigenlijk.'

'Dus een infuus is een naald met daaraan een slangetje? De naald prikken ze in je arm. Door het slangetje druppelen de medicijnen je arm in', vraag ik voor de zekerheid. Jenny knikt.

'Heel langzaam, druppeltje voor druppeltje. Anders ben je net een ballon die je te snel opblaast. Dan knap je uit elkaar. Daarom moet je moeder in het ziekenhuis blijven, dan kijken ze of het goed gaat.'

'Als ze haar maar niet lek prikken met die naalden.' We rillen allebei. Het lijkt ons niks, zo'n naald in je arm. 'Loop je eigenlijk niet leeg?'

'Kennelijk niet.'

'Misschien moeten we het eens uitproberen met de

naalden van het kraaltjes rijgen.'
'Echt niet', zegt Jenny geschrokken. 'Dat doen we niet
hoor en jij ook niet. Beloofd?'

In de deuropening staat papa. 'Ha Mara en Jenny, wat
treuzelen jullie.'
Wat stom van me, ik had juist zo'n haast! Ik zet snel
mijn fiets op de standaard en schiet langs papa naar
binnen. De telefoon ligt op tafel. Op een briefje staat
het telefoonnummer van het ziekenhuis. Zo snel als ik
kan, toets ik de cijfers in. Na een keer rinkelen, neemt
mama de telefoon al op. 'Hallo?'
'Mama, met mij! Heeft de dokter je borst eraf
gesneden?'
Papa draait zich geschrokken om naar Jenny. 'Waar
hebben jullie het over gehad?'
'Over alles geloof ik.'
'Ik geloof het ook. Mara's moeder wordt alleen maar in
de gaten gehouden hoor.'
'En ze krijgt een infuus, toch? Ik heb Mara de werking
van een infuus even uitgelegd.'
Papa kijkt Jenny en mij om en om beduusd aan. Het
gaat hem zeker een beetje te snel allemaal. Hij zet
drinken op tafel en zijn glas drinkt hij in één teug leeg.
Hij zucht diep.

'Mara, hoor je me, ik zei dat mijn borst er nog aan zit',
hoor ik mama aan de andere kant van de lijn. 'Mara,
het gaat best. Oma heeft de tekening gebracht die jullie

hebben gemaakt. Die maakt me vrolijk. En morgen ben ik alweer thuis! Komen jullie me morgen ophalen?'

'Papa,' zeg ik met de telefoon in mijn hand, 'mama vraagt of we haar morgen ophalen.'

'Mara, geef papa maar even, wil je?'

Ik geef de telefoon aan papa.

'Ja Jenny is hier. Kris is bij Bart aan het spelen, dus ik kom zo naar je toe. De meiden kunnen best even alleen zijn.' Ik rol met mijn ogen. Jenny is altijd alleen thuis 's middags, dat weten ze toch.

'Dus over twee uur ben ik weer terug. Ik haal Kris op en dan eten we vanavond lekker friet! Blijf je ook eten Jenny?' Papa wacht niet eens op antwoord. Hij schiet in zijn jas, grist de autosleutels van tafel en weg is hij.

We halen al mijn knutselspullen uit mijn kamer en leggen die op de grote eettafel neer. Jenny heeft zin om kraaltjes te rijgen.

Met mijn kiezen op elkaar prik ik hard de naald in mijn vinger. 'Auw!' Er komt een druppel bloed uit.

'Zie je wel Jenny.'

'Mara, dat zou je niet doen!'

Ik zuig op mijn vinger en kijk naar de naald. Er kan helemaal niets doorheen. 'Het klopt niet hoor, wat jij zei.'

'Volgens mij is het niet echt een naald. Ik denk meer een heel scherp rietje.'

Dat vinden we wel logisch klinken. Ik kijk naar mijn vinger, het bloeden is al gestopt.

Als papa en Kris met een grote zak friet binnenkomen, zijn Jenny en ik al een beetje misselijk van alle koekjes die we hebben opgegeten. Maar dat zeggen we natuurlijk niet. Snel schuiven we al onze knutselspullen opzij en papa kiepert zo de friet uit de zak op onze borden. We krijgen een grote klodder mayonaise erbij en appelmoes uit een potje.

'Mogen we zeker niet tegen mama zeggen morgen', zeg ik met volle mond.

'Jawel hoor! Ze wenste ons een smakelijk eten!'

'Hoe gaat het met haar?', vragen Jenny en ik in koor.

'Best wel redelijk. Ze vindt het meevallen, ze voelt bijna niets van het infuus. Maar ze mist ons wel.' Papa zucht en neemt een hap appelmoes. 'Morgen is ze er weer gelukkig.'

Kris steekt twee frieten in zijn neus en kijkt ons ondeugend aan. Jenny stopt er twee in haar oren en papa stopt er zoveel in zijn mond dat zijn mond uitpuilt. Ik teken met mayonaise een stip op mijn neus. We moeten zo hard lachen dat we niet meer kunnen stoppen. Ik krijg er de hik van.

's Nachts
de kamer versieren

Ik kan niet slapen. Mijn deur staat open, ik hoor papa
de badkamer in lopen en even later weer uit. Hij loopt
over de gang naar de slaapkamer. Zou hij wel kunnen
slapen in zijn eentje in het grote bed? Zou Kris wel
slapen? En mama? Papa heeft verteld dat ze met vijf
mensen op een zaal ligt. Zouden die snurken of praten
in hun slaap? Zeggen ze welterusten tegen elkaar als ze
gaan slapen? Is het 's nachts stil in een ziekenhuis of
word je steeds wakker van sirenes?
Morgen moet mama dat ons allemaal vertellen. Als
mama weer bij ons thuis is. Als ze weer gewoon mama
is. Misschien gaan mama en ik zaterdag wel winkelen
en dan is alles weer normaal. Ik haat al dit geheimzinnige gedoe. Nou moet ik alweer huilen.
Ik druk mijn gezicht in mijn natte kussen en schrik me
te pletter als ik opeens een koud handje op mijn arm
voel. 'Mara, mag ik vannacht weer bij jou liggen?'
Even schiet er door me heen hoe stom dit er moet
uitzien, zo'n huilende grote zus. Ik ben beslist niet
stoer zo. Maar ach, wat zou het?

'Jij kunt zeker ook niet slapen', fluister ik. Kris antwoordt niet, maar duwt zijn beer tegen mijn wang.
'Ik mis Dollie en mama. Het is niet leuk zonder hun. Er dansen allemaal rare schaduwen op mijn gordijn.'
'Hier niet, kijk maar. Papa past heel goed op ons.'
'Waarom huil jij dan?'
'Zomaar omdat ik daar zin in had, nou goed.'

Kris neemt de helft van mijn bed in beslag. Nu kan ik helemaal niet meer in slaap komen en ik kan me niet eens omdraaien. Voorzichtig laat ik me uit bed glijden, op mijn tenen sluip ik naar de overloop.
'Wat doe jij Mara?' vraagt Kris slaperig.
'Sssst, ik ga naar beneden.'
'O. Mag dat wel... Wacht, ik ga mee.'
'Alleen als je heel stil kunt zijn. Ik wil papa niet wakker maken.' Ik pak zijn hand en in het donker gaan we voorzichtig de trap af. Zachtjes doe ik de huiskamerdeur achter ons dicht en klik ik een lamp aan.
'En wat gaan we nu doen?' De stem van Kris schalt door de kamer. Ik stamp van ingehouden woede op de grond. Wat heb ik hem nou gezegd?
'Stil toch, stommerik! Ik ga mama's eetkamerstoel versieren.'
Ik trek meteen de onderste lade van de zware kast open. Wat maakt die een krakend en piepend geluid!
'En ik ga een tekening maken.'
Kris doet de deurtjes van de kast open. Hij vergeet helemaal dat ik eronder zit en voor ik het weet, knal ik met

mijn hoofd tegen de hoek van het kastdeurtje. Ik gil en geef Kris een mep.

'Mag ik vragen wat jullie hier midden in de nacht doen?' Papa staat in zijn donkerblauwe badjas, met wilde haren en een boze blik in de deuropening.

Kris kruipt achter me.

'Ik, eh, we konden niet slapen.'

'En toen dachten jullie: laten we de hele buurt maar wakker maken?'

'Nee, eh, ik wilde de kamer versieren voor mama. Voor morgen als ze thuiskomt.'

'En ik wil een tekening maken', piept Kris.

Papa's gezicht klaart op. 'We horen natuurlijk eigenlijk in bed te liggen, maar kom. Laten we de kamer versieren als we toch alledrie niet kunnen slapen.'

'Kan jij ook niet slapen?'

Papa schudt zijn hoofd. 'Ik lig maar te woelen. Waar liggen de slingers?'

Papa helpt mij met de versieringen en Kris met zijn tekening. De wijzers van de klok staan op één uur als we eindelijk terug naar bed gaan.

Papa laat ons 's ochtends uitslapen. 'Ik heb naar school gebeld dat jullie vandaag niet komen. We gaan bloemen kopen en mama ophalen.'

In de auto zijn we stil, we zijn zenuwachtig. Ik vraag me af of mama er anders uitziet, of ze nu al geen haar meer heeft. Maar dat durf ik niet aan papa te vragen.

Op de parkeerplaats staan zoveel auto's dat papa een

rondje moet rijden voordat hij een plekje vindt. Hij
pakt Kris bij zijn hand en ik pak papa zijn andere hand.
Het is hier zo groot dat ik me heel klein voel.

In de hal hangen allemaal borden die de weg wijzen, er
lopen veel mensen rond. Oude mensen, moeders met
kinderwagens, dokters, verplegers, een jongen die een
andere jongen in een rolstoel voortduwt. Op een stoel
zit een klein meisje met haar been in het gips. Naast
haar zit haar vader. Niet iedereen ziet er ziek uit. Ze
kunnen ook gewoon op bezoek komen, net als wij.
Papa weet precies waar mama ligt. We moeten met de
lift naar de tweede etage, de gang door, de klapdeuren
door, de bocht om en op kamer B12 ligt mama. Kris laat
papa's hand los en vliegt de gang door naar de afdeling.
We zeggen dat hij zachtjes moet doen, hij hoort het
amper.
Een zuster vangt hem op. 'Jij bent vast Kris', zegt ze
vrolijk. 'Doe die deur maar open!'
Dat laat hij zich geen twee keer zeggen. Ik houd het
niet meer en ren achter hem aan.
Daar zit mama op bed, klaar om te vertrekken. Ze ziet
er nog net zo uit als twee dagen geleden.
We geven haar een knuffel. Ze ruikt een beetje gek,
naar ziekenhuis. Papa geeft haar een dikke zoen en
houdt haar stevig vast. Hij fluistert dat hij haar heeft
gemist.
'O nee, hè! Ze zijn alweer verliefd!' Ik sla mijn broertje
een hand voor zijn mond.

'Ophouden jij,' zeg ik wijs. 'Zo doe jij ook als je Dollie hebt gemist.'

Kris rukt zich los. 'Dollie, waar is Dollie?'

Mama duwt hem lachend zijn dolfijn in zijn armen.

Ik kijk nieuwsgierig om me heen. Er zijn zes bedden in de kamer. Een is er leeg. De andere mensen liggen in hun pyjama's in bed. Ze zijn veel ouder dan mama. De ene vrouw glimlacht naar me. 'Wil je een chocolaatje kindje?'

Ze praat heel gewoon, net als oma. Helemaal niet oud of ziek. Maar dan zie ik bij een andere vrouw een ijzeren kapstok met daaraan een plastic zakje en een plastic slangetje dat naar haar hand loopt. Met een pleister zit het slangetje aan haar hand vastgeplakt.

Ik zie ook ineens pompen naast de bedden staan. 'Is dat een infuus?' Ik wijs naar de stok.

De vrouw knikt. 'Ja, die heeft je mama ook gehad.'

Ik kijk naar mama's hand. Er zit een pleister op. 'Zat daar een naald in?'

Mama knikt.

'Maar dat kan niet. Want door een naald kan niks.'

'Dat klopt. Het is een holle naald.'

'Een soort scherp rietje?'

'Ja, inderdaad!'

'Dat dachten Jenny en ik al.'

Pieppieppiep, een doordringend gepiep klinkt opeens door de kamer. Kris drukt zijn handen tegen zijn oren. Ik schrik, er is brand in het ziekenhuis. Maar het

gepiep komt bij een bed vandaan en daar zie ik geen
vuur.

Een zuster komt binnen met een zakje vloeistof in haar
hand. Ze stopt het gepiep en verwisselt de zakjes.

'De pieper waarschuwt als er een zakje leeg is. Het is
een hoop gepiep hier', zegt mama.

Ze zegt de mensen in de bedden gedag, papa pakt haar
tas en de tekening en dan begint de volgende piep
alweer.

'Ik wil weg', zegt Kris. 'Ik ook', zeg ik. Bij de deur
zwaaien we kort en we doen wie het eerst bij de lift is.

Papa en mama zeggen er niets van dat we door de gang
rennen. Ze zijn veel te blij dat we naar huis gaan.

Pannenkoeken
met tranen

Mama is heel blij met haar versierde stoel. Ze gaat
zitten en staat niet meer op. Ik breng haar een kopje
thee, op haar schoot ligt nog steeds de tekening van
Kris. 'Zal ik die ophangen?'
'Graag!'
Het is een beetje vreemd dat mama daar maar op die
stoel zit en glimlachend naar ons kijkt. Ze is vast moe,
ik vraag er niet naar. Kris en ik doen erg ons best lief te
zijn.
Papa bakt pannenkoeken alsof we niet de dag ervoor al
friet hebben gegeten!
Hij gooit de pannenkoeken in de lucht en vangt ze met
de pan weer op. We klappen in onze handen. Ik zeg
niet dat papa er gek uitziet met mama's gebloemde
schort voor, maar ik schiet wel in de lach als er een
pannenkoek bovenop de lamp belandt.

Kris kruipt bij mama op schoot. 'Ben je nu een stukje
beter?' Mama strijkt over zijn stekelkoppie.
'Zo snel gaat dat nou ook weer niet. Op een dag zat er

in mijn oksel een hard balletje. Voel maar in je eigen oksel, voel je? Daar horen geen balletjes. Het was er gekomen zonder dat ik het doorhad en het groeide toen verder in mijn borst. Iets wat langzaam groeit, is niet in een keer weg. Ik wil graag dat het weggaat, die balletjes wil ik niet, die maken me ziek. Ze kunnen door mijn hele lichaam reizen, waar naartoe ze maar willen. Dat houden de dokters tegen. Daarom was ik in het ziekenhuis. Ze hebben gekeken of er meer balletjes in mijn lichaam waren. En hoe ze die kunnen tegenhouden. Snappen jullie het nog een beetje?'

'De dokters toveren de balletjes weg', zegt Kris.

'Die balletjes zijn toch de kankers?', vraag ik voorzichtig. Mama knikt. 'Zo'n bal is een klomp cellen. Je lichaam bestaat uit een heleboel cellen. Cellen kunnen zich delen, cellen zijn soms klaar en dan verdwijnen ze. Maar er is ook wel eens een cel die zich deelt en steeds meer deelt en nog een keer. Dan worden het er wat veel. Ze zitten bij elkaar op een klompje en dat is dan een tumor. Dat is kanker.'

'Aan tafel', zegt papa en in zijn handen houdt hij een bord met een stapel pannenkoeken erop.

Kris en ik schrokken achterelkaar twee pannenkoeken naar binnen. Papa rolt de zijne op, snijdt er een flinke hap af en kauwt eindeloos. Net of hij geen honger heeft. Mama eet ook alweer zo weinig, daar hebben de dokters dus niets aan kunnen doen. Maar ik mag er toch nog wel een?

'Kunnen ze die ballen niet wegsnijden?' De vraag glipt uit mijn mond.

Mama schudt haar hoofd, een beetje verdrietig kijkt ze. 'Dat is zo gek met deze ziekte. Het heet kanker, maar bij iedereen is het anders. Bij de een snijdt de dokter het weg en is het weg. De ander krijgt medicijnen...'

'Toverdrankjes', zegt Kris.

'Nog een pannenkoek jongen', mompelt papa. Hij vindt het volgens mij moeilijk dat ik alles wil weten en Kris alles hoort. Maar ja, het is toch onze moeder!

Mama praat dan ook door. 'De dokter gaat mij niet opereren, hij gaat dus niet in mij snijden. Met de toverdrankjes probeert de dokter de bal in mijn borst kleiner te maken. Tot een knobbeltje, een erwtje, een rijstkorrel, steeds kleiner. Tot er niets meer is. Maar dat kan nog wel even duren en het is een spannend gevecht. Het gaat niet zomaar vanzelf lukken. Het kan jaren duren.'

Mama haalt eens diep adem. 'Eigenlijk heb ik best zin in een pannenkoek. Ik heb de laatste tijd zo weinig gegeten!'

'Hoera!', roep ik. 'Hoera voor papa de pannenkoe-kenkok! Mama eet weer!'

Maar papa kijkt helemaal niet trots en blij. Hij slaat zijn handen voor zijn gezicht en schokschoudert. Ik schrik, papa huilt zo vaak de laatste tijd. Kris legt zijn vork bedremmeld neer en doet met papa mee. Ik voel ze opeens ook prikken, die tranen.

Mama zegt: 'Je mag wel huilen, Mara.'

Ze stromen naar beneden, over mijn wangen, over mijn witte bloes en ik snap niet eens waarom we zo huilen. Misschien wel omdat mama weer een beetje gewoon is.

Kont van het paard

Onze klas gaat een toneelstuk instuderen! We gaan voor de hele school *Pippi Langkous* van Astrid Lindgren opvoeren. Natuurlijk speelt Joy de hoofdrol, terwijl we eerlijk zouden loten. Juf heeft gevraagd of we het echt leuk vinden. We hebben allemaal gezegd dat we het heel erg leuk vinden dat Joy Pippi is.

'Jammer voor je, Mara. De haren van Pippi had je al', treitert Joy. De klas giert van de lach. Ik haal mijn schouders op, kan ik er wat aan doen dat ik de stomste rol heb gekregen. De rollen zijn verdeeld toen ik mama ophaalde in het ziekenhuis. Joy wrijft het er nog verder in. 'Moet je niet oefenen? Valt niet mee om het paard Witje te spelen hoor! Samen met Arie nog wel.'

Arie vliegt uit zijn stoel omhoog. 'Wat is daar mis mee? Paarden zijn te gek!'

Gek genoeg kijkt hij mij nu boos aan. 'Niets, daar is helemaal niets mis mee', zeg ik snel.

Jenny speelt de brave Annika en die rol past goed bij haar. Ik ben wel een beetje jaloers op haar want Steven mag Tommy spelen. Nu moet ik dom achter Arie aan sjokken, maar hij hinnikt zo grappig dat ik wel moet lachen.

We gaan de komende donderdagmiddagen oefenen.
Volgende week moeten we allemaal iets meenemen.
Jenny neemt een pluche aapje mee, Joy een rode
Pippipruik, ik een zwart-wit gestreept T-shirt voor
Pascal, die één van de boeven speelt. Arie heeft voor
Ina een politiepet van een oom, die een echte agent is.
Steven haalt schminkspullen.
We maken zelf de decors tijdens handarbeid op dins-
dagochtend. Angela zit alle pauzes te lezen. Zij mag de
verteller zijn omdat ze heel duidelijk kan lezen, maar
ze vindt het spannend. Terwijl Angela nooit ergens
bang voor is.
We zijn allemaal zenuwachtig, zelfs ik, ook al ben ik
alleen maar de helft van een paard. Jenny vindt het
stom dat ik de billen van een paard moet spelen. 'Dat
kan juf toch niet maken: de kont van het paard!' Maar
ik vraag toch geen andere rol. Ik heb niet zo'n zin
om veel tekst uit mijn hoofd te leren. Papa en mama
hebben vast geen puf om me te helpen. Ik ga ze niet
lastigvallen met Pippi Langkous.

'Niet normaal zoveel als ik moet leren. Dat kan ik echt
niet hoor', klaagt Joy in de pauze. Steven lacht haar uit:
'Komt ervan als je de hoofdrol wilt. Misschien wil er
wel iemand met je ruilen!'
Joy en ik kijken elkaar met knalrode koppen aan.
'Poeh, echt niet', zegt Joy alleen maar.
Jenny port met haar elleboog in mijn zij. 'Het is echt
leuk om Annika te zijn!'

'Ja vast', mompel ik. 'O, sorry hoor', zegt ze snel.
'Hé Joy', de stem van Angela schalt over het plein. 'Jij
ziet er dus echt niet uit als een Pippi, weet je dat wel?'
Iedereen stopt met spelen. Angela slaat haar boek open:
'Hier staat dat Pippi altijd met haar puntschoenen
op haar hoofdkussen slaapt. Nou, als ik jouw voeten
opmeet, lijkt het me duidelijk dat ze niet eens op een
hoofdkussen passen. Kun jij eigenlijk wel een radslag?'
Pascal gaat voor Joy staan. 'Ben je jaloers of zo? Dat je
te...'
'Ophouden!' Juffrouw Schiks staat voor ons met haar
handen in haar zij. 'Als jullie nu niet ophouden met dat
onaardige gedoe gaat het hele feest niet door. Dan gaan
we vanmiddag gewoon rekenen en is het uit met de
pret. Begrepen?'

Natuurlijk hebben we het begrepen. Duidelijker dan juf
kun je niet zijn.
Stil lezen we onze rollen verder. Arie sist: 'Mara, heb
je dit al gelezen? De dief klimt uit het raam en springt
op de rug van Witje. Dus Pascal moet op jouw rug
springen!'
Ik kijk Arie verschrikt aan. Hij lacht me niet eens uit,
maar wijst alleen naar het papier. Ik zoek de bladzijde.
Het staat er echt.
's Middags oefenen we de scène. Pascal springt van een
tafel op mijn rug. Het gaat goed, maar lekker voelt het
niet.

Thuis zoek ik overal naar mijn zwart-wit gestreepte
T-shirt. Waar heb ik dat ding toch gelaten? Ik kan het
niet aan mama vragen. Zoals elke middag ligt ze in bed
te rusten. De gordijnen zijn half dicht.

'Mara,' roept ze, 'kom even bij me. Vertel eens wat
jullie allemaal hebben gedaan op school.'

'Ik heb geen tijd', roep ik terug en loop door naar
zolder. Misschien heeft mama het T-shirt wel in een tas
met oude kleding gedaan.

'Wat zoek je', roept mama van onder aan de trap. Ze is
dus uit bed gekomen.

'Mijn oude zwart-wit gestreepte T-shirt.'

'Waar heb je dat oude ding nou voor nodig? Ik heb het
weggegooid, het was versleten en vies.'

Ik blijf stokstijf staan. Weggegooid, o nee. 'Waarom
gooi je dingen van mij weg zonder dat ik het weet?'

'Nou, Mara, rustig aan. Zo erg kan het niet zijn.'

'Welles. Ik heb het beloofd. Koop maar een nieuwe.'

'Mara...' Mama zucht diep.

Woest stamp ik de trap af naar beneden.

'Jij ligt altijd maar in bed. Je doet niks, je weet niks, je
vraagt niks. Ik moet het allemaal maar zelf uitzoeken!'

Mama gaat op de onderste tree zitten. Ik zie dat ze
huilt. Mama huilt nooit. Papa wel, maar mama niet.
Ik ga naast haar zitten. Ze kijkt me niet aan en zegt
dan met vlakke stem: 'Ik vraag je elke middag of je me
vertelt wat je die dag op school hebt gedaan. Maar je
vertelt me nooit meer iets. Ik ben wel ziek, maar ik wil
nog steeds graag weten wat je doet. Waar heb je dat

T-shirt voor nodig?' Nu kijkt ze wel naar me en ze
strijkt mijn haren uit mijn gezicht.
Ik vertel haar over Pippi Langkous, over de boef en ik
zeg zelfs dat ik een paard ben en dat niet eens erg vind.

Maar dat het T-shirt weg is, vind ik wel erg. Opeens heb
ik een idee. Ik storm de trap af, de klapdeur door en
trek woest de garagedeur open. Er hangt een verflucht,
papa is bezig aan een van zijn kunstwerken. Verstoord
kijkt hij op. Als hij schildert, wil hij eigenlijk niet
dat we zomaar binnenkomen. Maar dat kan me niks
schelen.
Papa zit vol spetters verf. Het lijkt wel of hij groene
sproetjes heeft gekregen. De verf zit zelfs in zijn haren.
Ik schiet in de lach en al snel lacht papa gelukkig mee.
Hij veegt zijn handen af aan een oude zwarte doek.
'Pap, ligt mijn zwart-wit gestreepte T-shirt bij de oude
lappen?' Hij fronst zijn wenkbrauwen alsof hij hard
nadenkt en haalt zijn schouders op. 'Geen idee, ik kijk
nooit naar de lappen waar ik mijn handen aan afveeg.'
Wat heb ik daar nou aan, dan moet ik zelf maar
zoeken. Een kartonnen doos in de hoek puilt uit van
de lappen. Ik trek alles eruit. Een oude rode trui van
Kris, een roze slaapshirt van mama, mijn versleten
joggingbroek en is dat daar niet...? Juichend trek ik het
zwart-wit gestreepte T-shirt tussen de vodden vandaan.
'Gevonden!'
Op de rug van het shirt zit een zwarte vlek, maar dat is
voor een dief niet erg. 'Opgelucht?' Ik knik blij.

'Wat is mama aan het doen?' vraagt papa. Waarom moet papa nou weer over mama beginnen? Net nu ik er even niet aan dacht? Aan zieke mama die op de trap zat te huilen. Die iedere middag in bed ligt. Ik wil over het toneelstuk vertellen, ik wil niet over kanker praten.
'Mara, ik vroeg je iets. Wat is mama aan het doen?'
'Heb ik heus wel gehoord hoor. Mama ligt nog steeds in bed natuurlijk. Gewoon met haar kleren aan! Dat is toch stom. Net of het niet echt is.'
'Het is ook wel gek, maar mama heeft spierpijn en hoofdpijn en pijn in haar mond. Mondpijn, kan dat? Mama voelt haar hele lijf.'
'Hoe kan dat nou? Zitten de kankerballen dan inmiddels overal?'
Papa schrikt. 'Nee, nee, bewaar me. Het komt door de medicijnen. Die zijn zo sterk dat haar hele lijf er last van heeft.'
'Kijken ze dan helemaal niet wat ze kapotmaken?'
'Dat is te lastig helaas. Maar als ze ook de ziekte kapotmaken, komt het weer goed. Straks is ze weer jullie oude mama.'
Het zal wel, denk ik. Maar dat zeg ik natuurlijk niet hardop.

Toneelstuk.
Niet vergeten

'Mara, Mara, de paashaas is geweest.' Kris springt door de kamer.

'Ja vast, het is nog lang geen Pasen, ei.'

'Je bent zelf een ei. Kijk dan uit je doppen!'

Kris wijst naar de plant naast de televisie. Ik zie iets glinsteren. 'Kom Kris, we gaan zoeken.'

In het mandje met pennen bij de telefoon ligt een rood eitje, in het sleutelbakje nog een, Kris vindt een geel eitje in zijn auto, zelfs onder het kussen van de bank ligt er één.

'Zullen we ze lekker meteen opeten?' We peuteren zo snel we kunnen de zilverpapiertjes eraf en hebben helemaal niet door dat mama lachend in de deuropening staat.

'Kom, bij chocolade-eitjes hoort thee', zegt mama en zet water op.

'Ik wil limonade', roept Kris met een mond en gezicht vol chocola.

We zitten gezellig met zijn drieën op de bank. Mama

leest Pippi Langkous voor, Kris vindt het spannend.
Ik moet lachen om Pippi, ik hoop echt dat Joy ook zo
grappig doet.
'Jullie komen toch wel kijken hè?'
'Dat hoop ik wel!'
Mama probeert te lachen, dat merk ik heus wel. Maar
haar ogen lachen niet mee. Ik zit zo dicht naast haar
dat ik zie dat haar haren dof zijn en die rimpels had
ze volgens mij ook niet. Als ze voorover bukt om haar
kopje thee van tafel te pakken, ziet Kris het ook.
'Mama, je lijkt wel een oma.'
Ze kijkt ons onrustig aan, een beetje paniekerig.
Ik schrik me te pletter.
'Mama, mam, je hebt kale plekken op je hoofd!'
Ze slikt. 'Het is begonnen, Mara. Mijn haren vallen uit.
Ik word kaal.'
'Een paasei! Mam, je wordt een paasei', zegt Kris.
'Dank je wel,' zegt mama rustig en neemt een slok
thee. 'Zal ik verdergaan met voorlezen?'
We knikken, genoeg over mama's kale hoofd vandaag.

Op de kalender in de keuken schrijf ik met grote
letters:

TONEELSTUK
NIET VERGETEN!

Het oefenen gaat best goed. Joy kan een radslag, Jenny en Steven lijken echt op Annika en Tom. Arie doet niet eens stom tegen me, we zijn samen een mooi paard. De kinderen die de dorpsbewoners spelen hebben een leuk liedje en dansje ingestudeerd. Het is net echt. Maar de vlek is niet uit het T-shirt gegaan en daarom durf ik het toch niet aan Pascal te geven. Ze heeft er al tien keer om gevraagd.

Vandaag is het zover, de dag van het toneelstuk. 'Nou, succes hè, meisje. Tot straks!' Papa klopt me op de schouder. Trots stap ik op de fiets. Onze klas wordt wereldberoemd op school! Ook al zit ik dan verstopt in een paardenpak, ik ben echt zenuwachtig. Steven zet zijn fiets naast de mijne in het fietsenrek. Hij lacht naar me en o, nu ben ik nog zenuwachtiger. Ik voel me vreemd trillerig. 'Ik hoop voor jou dat het shirt voor Pascal daarin zit', hoor ik de schelle stem van Joy achter me. 'Ik ben niet dom!' 'Jullie vinden het zeker eng hè. Ik niet hoor, ik ben dit wel gewend. Wat kunnen mij die schoolkinderen schelen? Ik speel mee in de reclame van Tropical Beachclub, wisten jullie dat al?' 'Als Pippi zeker', zegt Steven terwijl hij het fietsenhok uitloopt. 'O ja.' Ik probeer heel saai te klinken, zo van: kan mij het schelen. Maar waarom heeft papa me dat niet verteld?

Joy kijkt verbaasd, we luisteren helemaal niet naar haar.

Snibbig zegt ze: 'Nou paard, ga je nog mee? Wat zit je nou in die tas te graven?'

'Hier, dit is het T-shirt.'

Joy heeft zich al omgedraaid, ze kijkt er niet eens naar. Over haar schouder zegt ze nog snel: 'Je bent toch niet jaloers of zo?'

Achter haar rug trek ik een gekke bek en prop het shirt terug in mijn tas.

In de gymzaal is het een kabaal. Iedereen gilt en rent door elkaar heen. Juf staat op een stoel en klapt in haar handen. Naast haar ligt een grote stapel kleren, ik gooi snel het verkreukelde T-shirt erbij. Juf klapt nog harder in haar handen en eindelijk wordt het stil.

'Nu moeten jullie allemaal heel goed luisteren, anders wordt het niks. Het gaat als volgt: ik roep jullie namen, je pakt je kleren, trekt ze aan en juf Sylvia en meester Bram helpen jullie bij het schminken. Als je klaar bent, ga je naar de klas en lees je rustig je rol nog een keer door. Zo komen alle kinderen en ouders en dan moet het hier netjes en opgeruimd zijn. Begrepen? Jenny, pak je kleren maar.'

We vinden het natuurlijk allemaal veel te lang duren, maar juf duldt geen tegenspraak. Er zit niets anders op dan geduldig te wachten tot we aan de beurt zijn.

Arie trekt wild zijn helft van het witte paardenpak aan. Krrr, klinkt het. 'Pas op, je scheurt eruit', roep ik

geschrokken. Gelukkig is er maar een draadje los, juf
Sylvia maakt het vast met een veiligheidsspeld. Arie
ziet er grappig uit als paard Witje, ik schiet in de lach.
Hij hinnikt vrolijk: 'Hihihihihi en schiet jij ook op
paardenkont.'
Ik trek de witte overall aan met de paardenstaart. Ik
buk, houd Arie bij zijn middel vast en als een paard
galopperen we een rondje om erin te komen.
'Mara en Arie, wat had ik gezegd? Als jullie klaar zijn
graag naar de klas en je rol nog eens oefenen.' Juf
klinkt wat vermoeid.
'Hihihihihihi', hinnikt Arie nog eens en samen draven
we de gymzaal uit naar de klas.

Na de kleine pauze is de gymzaal omgetoverd tot een
echt theater. De zaal zit vol ouders en kinderen. Wij
staan in de kleedkamer te wachten en klappertanden
allemaal van de zenuwen. Joy is al drie keer naar de wc
geweest.
De grote lampen gaan uit, alleen het stuk van de zaal
waar wij spelen is verlicht. Angela loopt naar binnen,
slaat het boek open en begint met lezen. Jenny en
Steven moeten op, Joy gaat het toneel af, de dorpsbewoners zingen een lied.
'Witje loopt naar het raam', horen we Angela zeggen.
Arie huppelt de zaal in met woeste vaart, ik kan hem
nauwelijks bijhouden. Onze benen gaan helemaal niet
gelijk.
Boem. Opeens staat hij stil, ik bots tegen hem op.

'Au!', roept de kont van het paard en ik hoor mensen lachen.

Het is maar goed dat niemand mijn knalrode kop ziet.

Plof. Pascal springt op mijn rug, ik blijf nog net staan.

Een vallend paard had er ook nog wel bij gekund.

We galopperen de zaal uit, met Pascal op mijn rug. De mensen klappen en Pascal sist: 'Wat een goor T-shirt.'

Ik doe net of ik het niet hoor.

We moeten allemaal op voor het slotlied, de hele zaal zingt het refrein mee. Als het licht in de zaal aangaat, zie ik dat mama, papa en Kris vooraan zitten. Ze lachen, zwaaien en klappen. Ik zwaai vrolijk terug ook al is dat misschien kinderachtig.

Pruiken en sjaaltjes

Joy doet dus mee aan de badpakkenreclame. Ik ben
boos dat papa het niet aan me heeft verteld. 'Mara, nu
moet je ophouden. Ik heb de modellen niet uitgekozen,
dat heeft de fotograaf gedaan. Ik heb alleen de decors
gemaakt.'
'Maar je had het toch kunnen zeggen tegen me?'
'Mara, ik had het helemaal niet door. Er springen daar
straks twintig kinderen rond en dat Joy er een van is,
vind ik erg leuk voor haar.'
'En waarom doe ik niet mee?'
'Omdat de fotograaf de kinderen bij het kindermodel-
lenbureau heeft uitgezocht en daar sta jij niet inge-
schreven. Daarom niet. Trouwens,' papa kijkt me met
pretoogjes aan, 'zo leuk is het niet. Het is buiten en de
maand maart is in tijden niet zo koud geweest!'
Dat klopt, ik had handschoenen aan op de fiets ook al
scheen de zon. Het is waterkoud. Zo noemt oma dat.
'Weet je wat, we gaan samen kijken bij de opnamen.
Nu meteen.' Samen rijden papa en ik naar Tropical
Beachclub bij de rivier.

De strandtent is omgebouwd tot tropisch oord. Er ligt wit zand omheen en er staan twee palmbomen. Er hangt een hangmat tussen waar drie kleuters in kleurige badjassen in spelen.

Er staan parasollen met franjes, met plastic tafeltjes en stoeltjes eronder. Daarin zitten mensen met vrolijke badkleding aan en grote zonnebrillen op. Het is echt net alsof we op vakantie zijn in een heel ver, zonnig land! Ik doe mijn sjaal wat strakker om, zo warm is het niet. Wat knap van die mensen dat ze net doen of ze puffen van de hitte.

Een meisje hangt verveeld op een ligbed. Ze heeft een grote zonnehoed op en likt aan een ijsje. Het is Joy!

Als ze me ziet, komt ze overeind: 'Je had me wel mogen vertellen dat de opnames buiten zijn.'

'Ja, en in de zomer sta je met dikke winterjassen en wollen wanten te puffen. Reclamemensen werken altijd minstens een halfjaar vooruit. Anders hangen de kleren niet op tijd in de winkel. Logisch toch.'

'Pfff.'

'Iedereen klaar voor de opnamen', klinkt er een stem door de megafoon. 'Mara, we willen beginnen. Zeg dat je vriendinnetje opschiet, wil je?'

Joy staart me verbijsterd aan. 'Ken je die? Weet je wie dat is?'

'Fotograaf Dirk van Doorn, daar werkt mijn vader vaak mee samen', antwoord ik snel voordat ik wegren. Want een meisje in haar winterkleren op de foto past natuurlijk niet. Ik gloei van trots.

Mama moet lachen als ze onze verhalen over de Tropical Beachclub in de vroege lentezon hoort. Ze is ook een beetje bezorgd. 'Die kinderen vatten toch geen kou?'

'Welnee, ze hebben dikke handdoeken en krijgen tussendoor warme chocolademelk', antwoordt papa.

'Nu ik het zeg: Kris en Mara, hebben jullie misschien ook zin in warme chocolademelk? Dan maak ik koffie voor mezelf en voor mama zet ik een kopje thee.'

Papa is zo vrolijk dat we er allemaal blij van worden. 'Hè, wat is het fijn als al het werk goed is gegaan. De strandtent is echt mooi geworden!'

Ik zeg niets over de pluk haar die op de bank ligt. Mama verliest steeds meer haren. Als ze nu ook de kanker maar eens kwijtraakt.

'Ik heb al een paar dagen pijn aan mijn haren, ze vallen met bosjes gelijk uit.' Mama zit bij de kapper en ik ben mee. Het is niet echt een kapper. Hier komen mensen om pruiken te kopen. Mensen die hun haren verliezen door chemokuren of een haarziekte.

De kale plekken op mama haar hoofd zijn zo groot geworden dat het er griezelig uitziet. De kapster zal de laatste plukken haar afknippen. Voor mama's kale hoofd zoeken we een mooie pruik of hoofddoek uit. Mama heeft het goed uitgelegd thuis en toen zei ik dat ik meewilde. Maar nu vind ik het toch een beetje eng.

'Daar gaan we dan', zegt de kapster en pakt een scheer-apparaat. De plukken haar vallen op de grond. Ik sla mijn handen voor mijn ogen.

'Doe maar niet mama. Stop dan!' Ik spring op en ren naar de deur.

'Mara, ik krijg er hele mooie haren voor terug over een tijdje.' Ze kijkt me via de spiegel aan. Mijn kale moeder. Even herken ik haar niet. Maar dan kijk ik goed. Haar ogen zijn dezelfde. En haar neus en haar mond. Gelukkig heeft ze geen flaporen!

Ik ga weer zitten, maar ik blijf het raar vinden. Medicijnen waar je kaal van wordt, waar al je haren om de beurt van uitvallen. De kapster die de laatste plukken wegscheert.

'Ik vind het toch zo knap van jou dat je mee durft te komen', zegt de kapster tegen mij. Ik zeg niets terug. Zo dapper voel ik me niet.

'Met zo'n stoere moeder', probeert de kapster nog een keer contact met mij te maken. Ik houd weer mijn mond.

Ik wil een pruik met gewoon mamahaar. Met plukken die altijd losschieten en die ze achter haar oor strijkt als ze boos is.

'Weet ze het wel?', hoor ik de kapster zachtjes vragen. Mama knikt in de spiegel. 'Mara weet van mijn zieke borst door de kanker. Ze weet dat ik kaal ben door de chemokuren, hè Mara?'

'Ja, maar het is slecht spul als je haren ervan uitvallen.'

'Het hoort erbij, maar je hebt gelijk', zegt de kapster. 'Kom eens kijken wat een mooi rond bolletje je moeder heeft.'

Ik deins achteruit. 'Nee, hoeft niet', mompel ik. De kapster legt haar hand op mama's schouder.
'Komt wel goed', fluistert ze.
'Mara, zullen we iets moois uitzoeken voor op mijn hoofd?' De stem van mama klinkt een beetje vreemd. Opgewekt en verdrietig tegelijk. Ik wist niet dat ze zo kon praten.

Ik bekijk de etalagekoppen met gedraaide sjaaltjes en tulbanden om hun hoofd. Overal staan koppen met pruiken. Pruiken met lang haar, steil haar, blonde krullen, zwarte pieken. Misschien zijn die sjaals meer iets voor mama want geen een pruik lijkt op mama's haar.
'Mam, die groene sjaal is mooi.'
Mama knikt. De kapster pakt de groene doek en wikkelt er een beige onder. Best aardig, moet ik toegeven.

Maar op straat lijkt het net of alle mensen ons aanstaren. Alsof ze zien dat mama kaal is. Zouden ze zien dat mama misschien wel doodgaat?
De mensen staren haar aan. Droevig, nors of gewoon expres er naast. Mama doet of ze niet merkt dat de mensen naar haar kijken. Misschien heeft ze het echt niet door.
'Zo, dat was spannend, hè Mara?'
Ik knik. Ik vind het nog steeds spannend.
'Zullen we een ijsje gaan eten?'
Ik schrik me rot, zo meteen komen we bekenden tegen.

'Nee! Nee! Alsjeblieft niet. Ik bedoel: anders lust ik geen eten meer!'

'Jij hebt anders nooit moeite met eten', antwoordt mama.

Jij wel, denk ik snel. 'Waarom ben je altijd moe na het eten van twee muizenhapjes?'

'Mijn mond, mijn keel, mijn tandvlees, alles doet pijn als ik eet. En dan denk ik: nou ja, wat maakt het uit. Ik eet ook wel eens goed hoor, ijsjes bijvoorbeeld, die verdraag ik heel goed. Of ben je bang dat we iemand tegenkomen? Is dat het Mara?'

Ik knik en schaam me meteen.

'Weet je wat, laten we eerst zelf maar eens wennen aan mijn kale hoofd. Die ijsjes komen nog wel een keer. We gaan naar huis.'

Ik haal opgelucht adem.

Mooie moeder

Het wennen gaat best snel. Elke ochtend zoek ik mooie doeken met mama uit om haar hoofd mee te bedekken. Soms heeft mama geen doek om als ik thuiskom. De eerste keer schrok ik nog, maar nu ben ik gewend aan haar kale kop.
Ik ben er zelfs zo aan gewend dat ik er niet eens aan dacht toen we naar het zwembad fietsten. Ik was veel te blij dat mama weer eens iets leuks met ons ging doen. Maar nu...

Het is druk in het zwembad. Het lijkt wel of de halve school er is. Mama heeft geen badmuts opgedaan, ze staat aan de kant in haar nieuwe Tropical Beachclub-badpak met een knalkaal hoofd. Iedereen kan haar zien.
Ik spring snel het water in, Kris wil achter me aan springen maar mama roept hem terug. 'Eerst je bandjes Kris! Mara, wacht even op hem.'
Nu weet iedereen dat ik bij ze hoor. Ik kijk in het rond en duik snel onder water. Een paar meter verderop zwemt Steven met een paar jongens. Ze gooien een bal heen en weer.

Pets, de bal komt naast me neer. 'Hé Mara! Gooi de bal even terug!' Steven heeft me dus gezien.

Ik gooi de bal terug. Steven gooit hem weer in mijn richting. Ik gooi de bal nu naar een andere jongen.

Steven zwemt naar me toe. 'Dit zijn mijn broer en zijn vrienden. Is dat je moeder?'

Ontkennen heeft geen zin.

Steven lacht. 'Mooie moeder heb je. Zelfs zonder haren. Weet je echt zeker dat ze geen model is geweest?'

Hij zwaait... en mijn moeder zwaait terug.

Ik schaam me kapot. Ik moet zorgen dat ik hier weg kom.

Zo snel ik kan, zwem ik naar de kant. 'Ik wil naar huis.'

Mama niet. Die heeft het naar haar zin. En Kris ook, hij is al honderd keer van de glijbaan geweest. 'Ik wil naar huisss!'

'Mara, we doen niet altijd wat jij wilt. Die jongens zijn aardig en zeur niet zo.' Kwaad zwem ik weg. Ik voel tranen prikken en dat komt niet doordat er water in mijn ogen is gekomen. Nijdig duw ik met mijn armen het water opzij. Ik voel niet eens dat ik tegen de rand aan kom met mijn vingers, zo kwaad ben ik.

Pas als ik op mijn rug terugzwem, voel ik dat mijn hand best zeer doet. Maar ik ga niet huilen, dat wil ik niet. Boem, ik bots tegen iemand op.

Het is Steven natuurlijk. 'Geeft niet Mara, je zwemt mooi! Ik ga eruit. Tot morgen hè!'

Mama heeft gelijk, hij is aardig. Dat wist ik allang.

Maar zij hoeft toch niet naar hem te zwaaien?
Mama plukt Kris uit het water. Hij wil blijven en krijst de hele boel bij elkaar.
'Papa wacht op ons, werk nou mee Kris.' Mama trekt Kris mee over de glibberige tegels. Ik loop er mokkend achteraan. 'Nou denk je wel aan papa, hè?'
'Waar heb je het over Mara?'
'Je zwaaide naar die jongens! Dat doe je toch niet.'
Mama trekt haar wenkbrauwen op. 'Ik zwaaide naar jouw vrienden. Het zijn toch aardige jongens.'
'Jij hebt papa al!'
Mama schiet in de lach. 'Ja en ik ben dol op hem. Het zijn grote jongens, maar veel te klein voor mij Mara. Ik zwaaide voor jou.' Ze giechelt. Ik voel me een oen. Nu weet mama ook hoe leuk ik Steven vind. Wat maakt het ook eigenlijk uit, als ze het maar niet aan papa vertelt.

's Ochtends voor het ontbijt komt mama mijn kamer binnen. 'Heb je eigenlijk je zwemkleren wel uitge-hangen gisteren?'
Helemaal vergeten, de tas met mijn drijfnatte badpak en handdoek ligt in een hoek van de kamer. 'Niets voor jou Mara. Geef je tas maar, dan haal ik je spullen er straks wel uit. Zal ik je haar mooi invlechten?'
Ik sta heel stil voor mama. Ze borstelt voorzichtig de klitten uit mijn haar zodat het geen zeer doet. Ik heb twee mooie rode elastiekjes in mijn hand. Eerst vlecht ze de ene kant in en daarna de andere kant. Nu heb ik twee ingevlochten vlechten met een strakke scheiding

in het midden.
Samen kijken we in de spiegel. Ik zie er best leuk uit
met mijn vlechten, witte trui en rode broek.
Papa fluit op zijn vingers als ik de kamer binnenkom.
'Mijn grote mooie meid!'
'Ik wil ook een staart', zeurt Kris. Maar daarvoor is zijn
haar te kort. Mama zet hem één van mijn haarklem-
metjes op het hoofd. Hij glimt ervan en wil er zelfs mee
naar school.
'Ja hoor, echt niet. Straks raak je mijn haarklem kwijt.'
'Weet je wat, als je thuiskomt mag je weer speldjes in je
haar', stelt papa voor. Gek genoeg vindt Kris het in een
keer goed.

Liever kaal
dan dood

Kris wil elke dag speldjes in. Tot ik op zaterdagmiddag
'zusje' tegen hem zeg. Hij rukt de speldjes uit zijn haar
en smijt ze in het rond. Op mijn knieën zoek ik waar ze
heen zijn gevlogen.

's Avonds, als Kris al slaapt, zit ik gezellig tussen mama
en papa in op de bank. We kijken naar een spannende
film. Ik weet wel dat het allemaal nep is, maar het lijkt
best echt. Met politieagenten die schurken achtervolgen. Soms wordt er geschoten en dan slaat mama
snel haar hand voor mijn ogen. Papa moet daar altijd
een beetje om lachen. Ik gluur toch tussen haar vinger
door.

'Kijk,' zegt mama en ze wijst naar de hoofdagent,
'onder mannen is het normaal.'

'Wat is normaal?'

'Kaal zijn. Als jij geen haar meer hebt, Jorn, zal
niemand er iets van zeggen.'

Papa strijkt een beetje benauwd zijn dikke, bruine haar
naar achteren. Het valt net zo snel weer terug in het
gordijntje langs zijn ogen. En dan zegt mama ineens:

'Ik denk dat ik ook eens wat vaker met mijn blote hoofd over straat ga.'

'Nee mama. Nee hoor, alsjeblieft!' Ik schrik zelf van mijn zielige stemmetje.

Papa en mama kijken mij verbaasd aan. 'Ze lachen me uit.'

'Is dat zo? Hebben die jongens uit het zwembad je later op school nog gepest?'

Ik schud mijn hoofd. 'Nee, Steven heeft er niets van gezegd en zijn broer zit al op de grote school. Maar Joy en Pascal en Marit...'

'Ach, trek je toch niks aan van die Joy en haar vriendinnen. Je kunt toch vertellen dat mama ziek is en dat zieke mensen soms kaal worden.' Soms snapt papa ook niks. Alsof ze naar me zouden luisteren.

Ik denk er niet meer aan, het is ook zo'n gezellige zondag. We ontbijten met een eitje op een witte boterham en papa perst verse jus d'orange. Ik help Kris met zijn puzzel en we bouwen een kasteel van blokken. Mama heeft een gele sjaal omgeknoopt die ze de hele dag ophoudt.

De hele zondag is er geen ziekte in ons huis.

Maar op maandagochtend staat Jenny op de hoek van de straat op me te wachten. 'Mara, ik moet het echt meteen vragen. Klopt het wat ik heb gehoord?'

Ik weet niet waar ze het over heeft. Of toch.

'Mama's kaalheid soms?'

Jenny knikt.

'Maar dat had ik toch verteld?'

Jenny knikt weer.

'Ja maar... eh... Het klopt toch niet dat ze nog maar een paar weken te leven heeft?'

Ik voel het bloed uit me wegtrekken. 'Hoe kom je daar nou bij?'

Beschaamd tuurt Jenny naar haar voeten. 'Het gonst rond in de groepjes.'

'Laat me raden wie daarmee begonnen is.'

Nu schudt Jenny haar hoofd. 'Nee, het is anders. Steven vroeg aan mij of ik wist wat jouw moeder had. Hij was jullie tegengekomen in het zwembad zei hij.'

'Wat gemeen van hem.'

'Helemaal niet. Hij was juist heel bezorgd en hij heeft niets tegen de anderen gezegd.'

'Wat heb je gezegd? Dat mama doodgaat dus?'

'Nee. Ik heb verteld dat jouw moeder kaal is door de medicijnen tegen de kanker in haar borst.'

'Borst, borsten, daar moest hij zeker wel om lachen? Zieke tieten.'

'Mara, doe normaal. Nee, hij schrok heel erg. Hij zegt dat je doodgaat van kanker.'

'Mijn moeder niet!' Mijn stem slaat over. 'Mijn moeder gaat niet dood.'

'Gelukkig maar', mompelt Jenny. We zeggen niet veel meer. We zetten onze fietsen weg en als we de klas binnenkomen, is het doodstil.

Opeens begin ik te huilen, met lange halen.

Juf komt geschrokken binnenlopen. 'Wat is hier op de vroege ochtend al aan de hand?'

'Niks, ze begon zomaar te janken', zegt Arie.

'Huilen doe je niet zomaar en janken zeggen we niet', zegt juf streng.

Ik kruip op mijn stoel en snif. 'Wil je zeggen wat er is?', vraagt juf.

Ik schokschouder en hik: 'Ze zeggen dat mijn moeder doodgaat.'

Juf kijkt de klas rond. Ze haalt diep adem, ze weet niet wat ze nu moet zeggen, dat zie ik heus wel. Dus het is waar: mama gaat dood.

'Maar ze krijgt toch medicijnen om beter te worden?', hoor ik Steven achter me vragen.

Juf knikt. 'Ik heb je moeder laatst gesproken, Mara. Ze vertelde me toen dat jullie er thuis veel over praten. Ik denk dat het goed is dat ik straks nog een keer bel.'

'Ja', ik wil meer zeggen, maar er komt niets uit mijn mond. Ik voel de ogen van alle kinderen op me gericht. Wat zullen ze nou weer denken? De juf die je moeder belt, dat is echt niet stoer.

'Misschien wil je de klas iets meer vertellen?' Juf kijkt me aan. Wat moet ik nu zeggen?

'Het hoeft niet nu meteen hoor. Of zal ik er meer over vertellen?'

Ze wacht niet tot ik antwoord geef, maar zegt: 'Jullie weten allemaal dat je ziek kunt worden. Je kunt griep krijgen, met keelpijn en hoesten. De moeder van Mara en haar broertje Kris is erg ziek. Wat zij heeft, is niet zomaar een verkoudheidje of een gebroken arm.'

'Ik heb ook een keer mijn arm gebroken, dat deed echt zeer', roept Arie.

'Meestal voelen we ons gelukkig wel lekker,' gaat juf verder, 'maar soms ben je misselijk of heel erg moe. Dan blijf je in bed liggen en knap je snel weer op. Maar de... nee Joy, laat me nu uitpraten. Goed, de moeder van Mara is ziek zonder dat je het eigenlijk ziet.'

'Dus je kunt zomaar opeens ziek zijn en dan doodgaan', zegt Pietertje verschrikt.

Juf zucht. 'Tja. Meestal ga je dood als je heel oud bent. Maar soms ook als je erg ziek bent. Gelukkig kunnen dokters wel vaak zorgen dat je toch beter wordt. Die dokters helpen nu ook de moeder van Mara. De moeder van Mara krijgt medicijnen.'

'Daarom is ze kaal', flap ik eruit en voor ik het doorheb, klets ik verder. 'Eigenlijk merk je het helemaal niet dat ze ziek is. In het begin niet. Ze was wel moe, maar had niet echt pijn. Toen ontdekte ze een knobbeltje onder haar oksel. Dat groeide naar haar borst. Dat is kanker, mama zegt dat het de vijand is. In het ziekenhuis krijgt ze een middeltje en dat vecht tegen die kanker. Maar dat middel is zo sterk dat je haar ervan uitvalt. Maar die haren komen terug.'

Ik moet stoppen om adem te halen. De hele klas staart me aan.

'Dat heb je goed verteld Mara', zegt juf.

Ik gluur om me heen. Joy bijt op haar nagels, Marit

krast met haar pen op een blaadje, als ik Pascal aankijk,
kijkt ze snel de andere kant op. Ik ben benieuwd wie er
als eerste iets zal zeggen.

'Duurt dat lang? Dat kaal zijn?', vraagt Angela. Ze
strijkt door haar eigen zwarte stekels. Het lijkt wel of
ik de hele tijd naar de haren van anderen moet kijken.
Angela kijkt me vragend aan.

'Nou, ik zou me voor zo'n kale moeder schamen hoor.
Geen gezicht zo'n biljartbal', merkt Joy op.

Arie gilt van de lach: 'Biljartbal, haha!'

Steven staat woedend op: 'Doen jullie even normaal. Ze
is ziek! Hebben jullie niet geluisterd of zo? Want wat
maakt een kale moeder nou uit? Als ze daar beter van
wordt.'

'Ja, liever een kale moeder dan een dode', zegt Angela.
Je kunt een speld horen vallen, zo stil is het. Juf kijkt
rustig de klas in voordat ze zegt: 'Duidelijker kun je het
niet zeggen Angela.'

Zeepbellen

'Mara, gaat het wel?' Jenny kijkt me onderzoekend aan
en ik knik stug terug. Hoe zou het met me moeten
gaan? Geen idee. Mijn moeder gaat dood en dat heeft
ze niet verteld.
'Ik wil naar huis, ik heb hoofdpijn.'
'Zal ik maar niet met je meegaan dan?'
'Nee, ik zie je morgen weer.'

Ook thuis houd ik mijn mond stijf dicht. Zo stijf dat
mama vraagt of er misschien iets gebeurd is. Ik barst
los: 'Of er iets gebeurd is? Jij gaat dood en je zegt het
niet eens tegen Kris en mij? Alles leg je uit en net het
belangrijkste...'
'Waar heb je het nou over?'
Met een bibberig handje zet mama de theepot op het
theelichtje terug. Als ik de paniek in haar ogen lees,
weet ik dat er iets mis gaat. Mama is wit.
'Jorn!', roept ze met een vreemd stemmetje. Papa
stormt met verf aan zijn handen de kamer binnen.
Kris, die met zijn auto op het kleed aan het spelen is,
kijkt verbaasd op. Papa's ogen staan verwilderd.
'Wat is er?'

'Nou, Mara zeg het maar', zegt mama nog steeds met een bibberstemmetje.

'Ik ga mijn spreekbeurt over kanker houden.' Ik ben zelf verbaasd dat ik dit zeg.

'Dat is wel een goed idee', zegt papa voorzichtig.

'Op school zeggen ze dat je doodgaat mama. Tegen ons zeg je dat je blijft leven. Hoe zit het nou?'

Mama schraapt haar keel. 'Dat heb ik al eerder gezegd. Ik doe heel hard mijn best om te blijven leven. Daarom heb ik die medicijnen en moet ik soms naar het ziekenhuis. Je weet nooit wanneer je doodgaat, Mara. Dat weet niemand. Ik wil er niet aan denken, want ik wil jullie groot zien worden.'

'Als je doodgaat, krijg je vleugeltjes om mee weg te vliegen', zegt Kris.

Er rolt een traan over mama's wang. Ik slik. 'Maar...'

Mama knikt. 'Ja, er bestaat een kans dat ik het gevecht verlies. Maar dan moeten jullie een ding weten: mijn leven is de moeite waard geweest.'

Ik kijk haar niet-begrijpend aan.

'Jorn, Kris en Mara, jullie hebben mijn leven bijzonder gemaakt. Ik hou zoveel van jullie, het meest van de hele wereld.'

'Maar toch ook van opa en oma en van Dollie?', vraagt Kris.

'Ja, van hun ook. En daarom vecht ik door. Voor jullie. Het gaat lukken hoor.'

Mama lacht door haar tranen heen.

'Mag ik nu naar Jenny? Om onze spreekbeurt voor te bereiden?'

We zitten samen aan de computer, Jenny en ik.
'Even kijken. Zal ik typen?' Jenny houdt haar vingers al boven de toetsen, klaar om aan te vallen. Jenny mag typen van mij, het is tenslotte de computer van haar moeder. Het grijze scherm wordt blauw. 'Welkom...'
Op het scherm verschijnt een vrolijke foto van Jenny en Mickey.
Jenny zoekt google op en tikt in: b-o-r-s-t-k-a-n-k-e-r
Binnen een seconde rollen de adressen tevoorschijn.
We nemen die met een roze lintje: Pink Ribbon. Jenny klikt 'informatie' aan.

Even kijken. Wat gebruiken grote mensen toch veel moeilijke woorden.

Symptomen, zelfonderzoek, pfff.
Uitleg chemo. Voor wie en hoe.
Bijwerkingen chemo (misselijkheid, braken, haar-verlies, moeheid, soms kanker ergens anders in het lichaam, kapotmaken van hart, nieren, blaas, longen en zenuwen, bloedingen.)
Hormoonpillen. Pillen die goed werken na de chemo.
Stadium 0 = 100% overleven, stadium 4 = 16% over-leven.
Ik krijg het ijskoud ineens. Hoeveel procent zou het bij mama zijn?

'Wil je een ander onderwerp Mara?', vraagt Jenny voorzichtig maar ik schud van nee. Het liefst wil ik alles lezen, ook al snap ik de helft niet. Ook al word ik er verdrietig van.

'Hier: kankerspoken.nl', Jenny klikt.

Het is een handige site voor kinderen. Hier kunnen we wel iets aan hebben bij onze spreekbeurt. Jenny klikt ongeduldig verder.

Opeens staat er een foto op het scherm van een mens aan de binnenkant. Een heel klein stukje en dan duizenden keren uitvergroot. Het zijn cellen, ze zien eruit als een soort zeepbellen. Het lijkt net of we in een ruimtefilm zijn beland. Heel apart. Jenny drukt op printen.

Echt mooi om in de klas te laten zien!

De foto's van een zwarte long klikt Jenny snel weg.

'Zou ik eigenlijk aan mijn moeder moeten laten zien, stopt ze meteen met roken.'

'Laten we even teruggaan naar kankerspoken.nl. Hé kijk, er heeft nog iemand een spreekbeurt over kanker gehouden.'

's Nachts droom ik over zeepbellen die uit elkaar spatten. Ik zit in zo'n bel en slinger tussen plastic draden, dokters prikken me lek met wel duizend naalden. Zwetend word ik wakker en ik kan niet meer slapen.

Opeens sta ik bij mama en papa op de slaapkamer. 'Wat is er liefje?'

'Ik droomde zo eng. Het was zo echt.'
'Och kindje, kom maar bij ons in bed.'
Snel kruip ik tussen mama en papa in en het kan me echt niet schelen dat ik daar misschien te groot voor ben.

Infuus
met ijs

Mama krijgt haar tweede infuus. Wij mogen mee naar het ziekenhuis. Ik ga goed opletten, want dan kan ik erover vertellen tijdens mijn spreekbeurt.

In de auto zegt papa dat er in het ziekenhuis een speelkamer is. Daar kunnen we spelen tot mama klaar is. Dat doe ik natuurlijk echt niet, dan mislukt mijn hele plan.

'Een speelkamer is voor baby's', zeg ik.

'Maar Kris gaat er wel naartoe', antwoordt mama meteen.

'Ik ben geen baby', krijst Kris.

'Ophouden, allebei', mama kijkt woest naar achteren.

'Ik doe niet eens wat', mompel ik, maar mama heeft het toch gehoord.

'Geen brutale mond nu, daar zit ik echt niet op te wachten.'

Ik heb zin om mijn tong uit te steken, maar dat kan ik beter niet doen. Dan mag ik echt niet meer mee.

'Ik wil niet spelen, ik wil niet, ik wil niet', zeurt Kris.

'Goed, jullie gaan samen mee en geen gezeur meer.'

In het ziekenhuis moeten we zachtjes doen. Kris vindt dat moeilijk. Hij wil rennen, papa houdt stevig zijn hand vast. 'Laat los, tot de deur. Waarom mag ik niet tot de deur rennen', dreint Kris.

Dat weet ik natuurlijk wel. 'Omdat hier zieke mensen zijn. Die kunnen niet tegen rennende baby's. Daar krijgen ze hoofdpijn van.'

'Ik ben geen baby, ik ren veel harder. Kijk dan.'

Maar papa houdt hem tegen.

'In de bibliotheek moet je toch ook zachtjes doen?', zeg ik wijs.

'Hebben de mensen daar dan ook hoofdpijn?' Kris kijkt mij met grote ogen aan.

'Vast wel. Van het vele lezen.'

'Ja, we zijn er', zegt mama dan.

We komen in een zaaltje waar vijf stoelen staan. Je kunt er lekker in wegzakken.

Mama gaat op de stoel bij het raam zitten en Kris mag op de knopjes op de leuning drukken. De rugleuning zakt naar achteren. Nu is het bijna een bed. Kris drukt nog eens op het knopje en mama schiet overeind. Dat is grappig, ik wil het ook proberen. Maar van papa mag ik niet in een van de lege stoelen gaan zitten. 'Het is geen speelgoed en aan de kant, de zuster komt eraan.'

Een jonge vrouw in een witte jas loopt achter een karretje vol verbandgaasjes en spuiten. Ze schuift een kruk naast mama haar stoel en gaat erop zitten. Mama heeft de mouw van haar trui omhoog geschoven en strekt haar arm uit. De zuster pakt haar pols vast met de ene hand en klopt met de andere hand tegen de binnenkant van de elleboog.

'Kijk', zegt ze tegen mij. 'Hier loopt een ader, zie je die blauwe lijn? Daar zal ik zo de naald in prikken. Daar komt de slang aan en zo gaan de medicijnen in je moeders arm. Durf je te kijken.'

Ik knik, maar voel me wel een beetje misselijk. De zuster praat verder: 'Misschien weet je wel dat je aderen door je hele lichaam lopen, het zijn een soort weggetjes door je lijf. Als je daar iets in spuit, komt het vanzelf op alle plekken terecht. Net als auto's op een racebaan.'

'Ik heb ook een racebaan', zegt Kris.

De zuster glimlacht en pakt de naald. Papa vraagt een beetje benauwd: 'Kris, zullen wij buiten wachten?' Hij houdt hem stevig vast.

Ik kijk hoe de naald naar mama's arm gaat en dan opeens zit de naald in haar arm. Mama geeft geen krimp, maar ik proef spuug in mijn mond.

'Ga je mee naar de speelkamer', zeg ik zwak tegen Kris.

'Gaat het, Mara?'

'Jawel, maar zo weet ik wel genoeg.'

Ik sleur Kris mee de zaal uit, de gang door, terug de hal door, naar de speelkamer.

Er liggen kleurboeken, potloden en prentenboeken. In een hoek staat een mand vol stripblaadjes, ernaast is een krat gevuld met autootjes en puzzels. Er is niks bij

wat ik leuk vind. Kris kiepert het krat om. 'Kijk Mara,
allemaal auto's.'
Er zit niks anders op dan mee te spelen. Maar na tien
minuten heeft Kris er al genoeg van en zit ik in mijn
eentje met de auto's op de grond. Hij heeft de prentenboeken gevonden en ik kan natuurlijk weer alles
opruimen.
'Kijk, dit kind heeft ook zo'n draad in zijn arm.' Kris
laat me een prentenboek zien. Het gaat over een kind
met kanker. Ik schrik er een beetje van. Als kind kun
je dus ook kanker krijgen, dat had ik wel gelezen op
internet. Maar nu weet ik het zeker. Ik blader verder
door het boekje. Het jongetje krijgt chemo en hij is zo
misselijk dat hij overgeeft.
Kris doet het plaatje na. 'Bwuuuuurk! Hij kotst.'
Ik vind het zielig.

Dan staat papa in de deuropening met ijsjes in zijn
hand. Ik gooi snel de laatste auto's terug in het krat.
Likkend aan onze ijsjes halen we mama op.
'Was dat nou echt de bedoeling, Jorn?'
'Natuurlijk!', roepen we alledrie in koor.
Papa geeft mama een arm. 'Zijn jullie alweer verliefd?',
vraagt Kris.
'Wij zijn altijd verliefd', grijnst papa.
'Maar dat ga ik niet vertellen in mijn spreekbeurt, hoor!'
'Jammer, Mara!'

Bijna beter

Als ik uit school kom, zit mama in de tuin. Het is
lekker warm. Ze komt meteen overeind.
'Hoe ging je spreekbeurt?'
Ik straal. 'Heel erg goed. Ik kon alles heel goed
uitleggen. Iedereen luisterde, zelfs Joy. Ik heb precies
voorgedaan hoe een infuus in je arm gaat. Dat was
spannend. Ik heb verteld dat we uit cellen bestaan en
toen heb ik die mooie plaatjes laten zien. Ik heb verteld
dat je kaal bent.'
'Dus je hebt alles verteld. Wat knap van je!'
'Ze willen je zien, mama.'
'Weet je wat Mara. Je mag op je verjaardag je hele klas
uitnodigen. We gaan een klassenfeestje geven.'
'Echt, maar dat kan toch niet?'
'Tante Birgit, opa en oma, Jenny's moeder en juffrouw
Schiks komen vast wel helpen.'

Ik kijk naar mama. Ze lijkt echt blij. Net alsof ze nog
iets wil vertellen.
'Wat is er mama?'
'Weet je Mara. Ik voel mijn lijf prikkelen, ik denk
dat de medicijnmannetjes heel hard aan het vechten

zijn. Ik voel ze werken. Misschien ben ik niet zo'n leuke moeder de laatste tijd, maar ik denk echt dat we binnenkort wel weer eens kunnen winkelen.'
Ik voel me helemaal blij worden vanbinnen.
'Word je beter mama, echt beter, helemaal beter?'

Opeens komt Kris naar buiten met zijn plastic zwaard en harnas.
'Ben je beter mama?'
Mama lacht.
'Nog lang niet. Maar ik doe hard mijn best. Ik ben nog steeds moe en ik moet nog heel vaak naar de dokters.'
Ze draait met haar vingers aan de blauwe kraaltjes van de ketting om haar nek. Haar wonderketting, die ik voor haar heb gemaakt.
'Ooit is het allemaal voorbij', zegt ze zachtjes.

Kris rent door de tuin alsof hij een ridder op zijn paard is.
In de deuropening staat papa. Hij lacht.
'Laten we het monster van mama voor altijd verslaan!'

Ik ren naar mijn kamer, pak mijn schrift en mijn vulpen.
En zo netjes mogelijk schrijf ik in mijn schrift:

Nog lang geen EINDE

Lief Dagboek

Er is echt veel gebeurd, ik weet niet waar ik moet beginnen. Best wel stom dat ik zo lang niet heb geschreven. Raar eigenlijk, want ik heb heel veel te vertellen!
Ik ben over naar groep 8. Nu zijn wij de oudsten van de hele school. Ik hoop dat ik mijn Cito-toets net zo goed maak als Jenny, want dan kunnen we samen naar het De Groot Lyceum. Wel elke dag een uur fietsen bij elkaar. We hebben een hele grappige meester. Meester Jeroen, hij is veel jonger dan juffrouw Schiks. Zij is gestopt met werken omdat ze oud is. We hebben een heel groot feest voor haar gegeven. Van meester Jeroen mogen we soms kletsen, als we maar wel op tijd ons werk af hebben. Hij kan goed voorlezen en dat doet hij vaak. Omdat we op de volgende school niet meer worden voorgelezen, zegt hij.

Ik zit naast Jenny natuurlijk. Joy doet helemaal niet meer zo stom sinds ze weet dat mama ziek is. Ze staat soms in blaadjes en zo, misschien wordt ze echt wel een bekend model.

Mijn vader is nu bezig met een reclamedecor voor tandpasta. Hij heeft twee van zijn schilderijen verkocht en daar is hij erg trots op. Hij is vrolijk en fluit de hele tijd. Hij is zo blij omdat hij nu een bekende schilder is, plaagt mijn moeder dan.

Maar ik weet best dat het door haar komt. Het gaat goed!!!

Het monster is verslagen. Papa en mama waarschuwen ons wel dat het altijd terug kan komen. Daarom moeten ze vaak naar het ziekenhuis om te controleren of de kanker zich niet ergens verstopt. Ik hoop dat het monster van mama echt weg is, helemaal opgelost.

Op haar hoofd groeien grappige krulletjes. Ze ziet er best leuk uit met dat korte haar, ik ben allang blij dat ze niet meer kaal is.

In de grote vakantie hebben we een week in een huisje op het strand gelogeerd. Dat was echt leuk. En ik

zit op zwemmen, ik kan al heel hard borstk~~rauch~~ crawl, nou ja, met je armen door het water slaan dus, hihi. Van oma heb ik een nieuwe kralendoos gekregen. Pfff, ik kan echt niet alles opschrijven hoor.
Maar een ding wel...
Ik heb verkering met Steven!!!
Laatst wilde hij me in het fietsenhok zoenen. Dat vond ik best wel leuk, maar ook een beetje raar. Dus voelde ik me stom. Jenny kon alleen maar giechelen toen ik haar vertelde over die zoen. Vandaag wilde Steven op het school- plein ook nog mijn hand vasthouden. Kris zag dat, want die zit nu in groep 3 en hij speelt op hetzelfde plein.
Hij roept nu al de hele dag: Mara is verliefd, Mara is verliefd.
Maar zo gek is het toch niet, dat ik verliefd ben? Ik ben al elf hoor!